Fantasy

Herausgegeben von Wolfgang Jeschke

GLORIA RAND DANK

Der Wald von App

Roman

Deutsche Erstausgabe

Fantasy

WILHELM HEYNE VERLAG
MÜNCHEN

HEYNE SCIENCE FICTION & FANTASY
Band 06/4592

Titel der amerikanischen Originalausgabe
THE FOREST OF APP
Deutsche Übersetzung von Irene Holicki
Das Umschlagbild schuf Emlynn Duffy

Redaktion: Friedel Wahren
Copyright © 1983 by Gloria Rand Dank
Copyright © 1989 der deutschen Übersetzung
by Wilhelm Heyne Verlag GmbH & Co. KG, München
Printed in Germany 1989
Umschlaggestaltung: Atelier Ingrid Schütz, München
Satz: Schaber, Wels
Druck und Bindung: Elsnerdruck, Berlin

ISBN 3-453-03469-4

*Für Leif
und meine Familie –
in Liebe*

EINS

SIE WAR KLEIN, und ihre Haut leuchtete golden. Das
bernsteinfarbene Licht glitzerte auf ihrem Gesicht,
wenn sie zwischen den Bäumen dahinging. Mit ihr
lebten Stout und Needle und der Hund Hopeless in
der baufälligen Hütte. Wenn der erste Rauhreif auf
den Zweigen tanzte, kam der Märenerzähler Rasp singend an ihre Tür, mit dem Frühlingswind purzelte
schreiend Kays Volk daher, die Raben, und erfüllten
mit heiserem Gekrächz den Himmel. An Gesellschaft
mangelte es ihr also nie. Sie und die anderen hatten
schon lange gelernt, sich vor lästigen Blicken zu ver-
bergen. Es kam selten genug vor, daß Fremde sich in
den Wald verirrten, aber wenn es geschah, dann waren sie und Needle und die anderen nirgends zu sehen.

Seit einer Weile waren die Bäume unruhig. Leises
Flüstern huschte durch die Äste, bestürztes Raunen.
Sie versuchten, sich dem Hexenbalg anzuvertrauen,
aber das Mädchen war beschäftigt und horte nicht zu.
Schließlich ließ sie sich, verärgert über das Flehen, von
ihnen durch den Wald führen. Hopeless, der Hund,
folgte ihr, klein, grau und leise, schnüffelnd durch das
Gras.

Ein- oder zweimal blieb sie stehen, um zum Spaß,
mühsam an ihren Zaubersprüchen herumstotternd,
eine Maus in einen Wolf zu verwandeln, aber jedesmal
begannen die Bäume wieder zu murmeln und drängten sie zum Weitergehen. Sie wollte schon aufgeben
und umkehren, als sie sich, hie und da innehaltend,

um ihr langes olivbraunes Haar von den scharfen Dornen zu lösen, durch ein dichtes Prickelbeerengestrüpp zwängte und plötzlich auf einer Lichtung eine Gestalt liegen sah.

Sie blieb stehen und bewegte die Hände vor dem Gesicht, als wolle sie den Anblick auslöschen. Hinter ihr kämpfte sich der Hund keuchend durch die schmale Lücke. Obwohl er noch zur Hälfte darinsteckte, zögerte er und hob den Kopf.

Ein gedämpftes Jaulen, dann hasteten Hund und Mädchen davon, das Mädchen schob Hopeless wie einen Flaschenkorken rückwärts durch die ächzenden Zweige und kroch eilends hinter ihm her, weg, nur weg von dieser Gestalt und der tödlichen Stille, die sie umgab. Das Wesen hatte ausgesehen wie ein Junge, ein magerer, ausgehungerter Körper, der zusammengerollt wie eine Schnecke im Gras lag.

»Du hättest nicht weglaufen sollen«, bemerkte Needle mißbilligend, als er das Abendessen austeilte.

Alles schwieg. Hopeless brummelte vor sich hin und rülpste leise über seiner Futterschüssel.

»Twelve«, polterte Needle, »hast du nicht gehört? Ich *sagte,* du hättest nicht weglaufen sollen.«

Das Hexenbalg wirkte verstockt. Das schmale Gesicht, gelb wie Sand unter dem Mond, verzog sich zu einer finsteren Grimasse. »Es war ein Fremder«, entgegnete sie und hielt Needle ihre Schale hin, damit er sie füllte. »Außerdem sah er aus, als sei er tot«, fügte sie hinzu.

»Vielleicht ist er es«, sagte Needle, »vielleicht aber auch nicht.«

Stout, der am Kopfende des Tisches saß und seine

kurzen Beine weit über dem Boden baumeln ließ, schüttelte den Kopf. »Es ist nicht richtig«, sagte er. »Nicht richtig, hörst du, Twelve? Das weißt du doch genau, oder?«

»Ach, laßt mich doch in Ruhe!« kreischte das Mädchen. »Laßt mich in Ruhe! Ich hätte es euch gar nicht erzählen sollen.«

Sie schlug mit der Faust auf den Tisch. Stout und Needle griffen vergebens nach dem Topf; er kippte, und der Inhalt ergoß sich auf den Holzboden. Stout fluchte, der brühheiße Haferbrei war ihm über die Hände gelaufen. Die Hexe machte sich klein und rückte auf ihrem Stuhl ganz weit nach hinten.

Needle murmelte ganz leise etwas vor sich hin und ging einen Lappen holen. »Hoffentlich ist es damit genug«, sagte er, während er den Boden aufwischte. »Genug Theater für heute. Stout, hast du dir weh getan?«

Der Zwerg antwortete nicht. Er warf Twelve einen wütenden Blick zu, lehnte sich zurück und zündete seine Pfeife an. Unter dem Tisch regte sich Hopeless und knurrte mißmutig.

Needle verteilte das Essen in die Holzschalen, setzte sich und streckte die langen dürren Beine unter dem Tisch aus. Hopeless stieß mit dem Kopf gegen Twelves Knie und versuchte zu schnurren; dann legte er sich schwerfällig vor das Feuer und schlief ein, sein stacheliges schlammgraues Fell zeichnete sich wie Strahlen vor den Flammen ab.

Als alle mit dem Essen fertig waren, seufzte Needle, schob den Stuhl zurück und spreizte die dünnen Finger über dem Tisch. »Nun«, fragte er und sah seine beiden Gefährten an, »was tun wir als nächstes?«

Der Mond schien in zitternden Flecken durch die Äste. Drei Gestalten waren auf dem Weg zum Rand des Waldes. Twelve trug einen langen graugrünen Umhang und streichelte im Vorübergehen die rauhe Rinde der Bäume mit den Fingerspitzen. Hinter ihr ging Stout, der sich mit seinem Wanderstab einen Weg durch das Dornengestrüpp bahnte. Als letzter kam Needle, dünn und zerbrechlich wie ein Zweig, seine Elfenaugen spiegelten das Mondlicht in grünen Blitzen wider. Hopeless hatten sie zurückgelassen, damit er das Haus bewachte, aber sie wußten genau, daß der alte Hund, sobald sie fort waren, seinen Posten an der Tür verlassen hatte und wieder am Feuer zusammengesunken war.

So gingen sie lange dahin, während der Mond sprudelnd in den Himmel stieg. Die Bäume wisperten, wenn Twelve vorbeiging, und zeigten ihr den richtigen Weg. Sie fegte mit wallendem Umhang vorüber, und die Bäume fragten sie nach dem Fremden, den sie gesehen hatte. »Wer war er?« murmelte sie. »Wwwweeeerrrr wwwwaaaarrrr eeeerrrr?«

»Ich weiß es nicht«, sagte Twelve. »Ich weiß es nicht. Wir werden es feststellen.«

Stout stapfte hinter ihr her und murrte leise, wenn ihm die Zweige ins Gesicht schlugen. »Hätten bis zum Morgen warten sollen«, brummte er.

»Ssscht!« mahnte die lange schmale Gestalt hinter ihm! »Seid still, ihr beiden! Wir sind fast da.«

Sie verstummten. Ringsum verstummte auch der Wald, als lausche er, die aufsteigenden Säfte und die raschelnden Blätter hielten einen Augenblick inne.

»Da habe ich ihn gefunden«, flüsterte Twelve und zeigte auf ein Dickicht.

Sie erreichten das Gebüsch und drängten sich aneinander.

»Siehst – siehst du etwas?« fragte der Elf.

Über ihnen hob und senkte sich der Mond und warf lange Schatten, die in seltsamen, sich verändernden Formen wie Gespenster unter den Bäumen dahinzuschweben schienen.

Schließlich verlor der Zwerg die Geduld. »Jetzt reicht es«, sagte er gereizt, stieß seinen Wanderstab auf den Boden und schrie: »*Wer ist da? Komm heraus und zeig dich!*«

»*Stout*«, flüsterte der Elf, aber der Zwerg schenkte ihm kein Gehör.

»Ist da jemand?« rief er und stocherte in den Büschen herum. »*Irgend jemand?*«

Die Bäume krümmten sich und seufzten, als er mit seinem Stock gegen die Stämme schlug. Zitternd schickten sie ihren meilenweit entfernten Brüdern Signale, Informationen, die schnell und zuverlässig über die empfindsame große Kette der Äste und Wurzeln durch die Luft und unter der Erde weitergeleitet wurden.

»Vielleicht ist er weggegangen«, sagte Needle, und so eilten sie, geführt von den Bäumen, weiter durch die Dunkelheit. Bald erreichten sie eine zweite Lichtung. In deren Mitte, auf einem kleinen Hügel, saß der Junge.

Sein Gesicht war milchig weiß, das Haar lang, gelockt und ungepflegt, und die Augen waren voller Schatten. Er hob den Kopf und sah ihnen entgegen.

Needle beugte sich vor. »Folgt mir!« flüsterte er.

Es war schwierig, zwischen den Bäumen hindurchzukommen. Stout brummte und fluchte, während er sich durch das widerspenstige Laubwerk kämpfte. Twelve schlug wütend mit den Fäusten gegen einen knorrigen Stamm. Needle schlüpfte in aller Ruhe hindurch und war als erster bei dem Jungen.

Die beiden starrten sich an.

Stout kam ins Freie gestolpert. Twelve erschien keuchend, mit zerkratztem Gesicht.

Lange Zeit sprach niemand ein Wort. Dann erhob sich der Junge mit einer merkwürdigen Gebärde des Aufhorchens. »Kommt nicht näher!« sagte er.

Beim Klang seiner Stimme rückten die drei Waldbewohner zusammen. »Junge«, fragte Needle, »was willst du hier in unserem Wald?«

Der Fremde schwankte. »Kommt mir nicht zu nahe!« sagte er. »Ich weiß, was ihr seid. Ihr seid Träume ... Täuschungen. Laßt mich in Ruhe! Geht fort!«

»Was sollen wir tun?« fragte der Zwerg mit gedämpfter Stimme.

»Ich weiß es nicht«, sagte Needle. »Es ist lange her, seit ich eines von diesen Wesen gesehen habe. Wie alt ist es deiner Meinung nach?«

»Alt genug, um klüger zu sein«, sagte der Zwerg. Er trat vor, gefolgt von seinem hüpfenden Schatten, und machte dem Jungen Zeichen. »Geh weg«, sagte er, »du gehörst nicht hierher. Verschwinde!«

Der Junge grinste ihn an und antwortete nicht.

Der Zwerg wich zurück. »Vielleicht ist es verrückt«, sagte er zu Needle. »Sieh dir nur an, wie es lächelt! Es könnte sogar gefährlich sein. Was sollen wir tun?«

Der Elf überlegte.

»Laßt es uns töten«, drängte die Hexe mit ihrer hohen Kinderstimme.

»*Twelve!*« rief Needle.

»Wir führen es aus dem Wald hinaus und lassen es dann allein, damit jemand anderer es finden kann«, schlug Stout vor.

Der Junge hob einen Arm und zeigte auf sie. »Ihr drei«, sagte er, »lebt nicht.« Der Arm sank herab. Der Junge schwankte und setzte sich schwerfällig.

»Es ist wahnsinnig«, sagte Stout.

»Es ist nur halb verhungert«, sagte Needle. »Sieh es dir an. Wahrscheinlich hat es seit Tagen nichts zu essen bekommen. Niemand im Wald würde ihm helfen.«

»Warum sollten *wir* es dann tun?« fragte das Hexenbalg.

Plötzlich lachte der Fremde. Ein paar Fledermäuse ließen sich, von dem Geräusch erschreckt, schnatternd herabfallen. »*Warumsolltenwirwarumsolltenwir?*« schrie der Junge, und die Worte gerieten ihm durcheinander. Er verdrehte die Augen.

»Ja«, sagte der Elf, »vielleicht ist es tatsächlich ein wenig schwach im Kopf. Aber das ist doch nur ein Grund mehr, etwas zu tun.«

Stout seufzte. »Sollen wir es mit nach Hause nehmen?« fragte er.

Needle nickte.

Die Hexe stieß ein unfreundliches Geräusch aus. »Nein. Das macht zu viele Umstände. Laßt es hier!«

Der Zwerg klopfte mit seinem Wanderstab auf den Boden. »Wir nehmen es mit«, sagte er, »aber es *darf nicht* erfahren, wo wir wohnen. Diese Menschen sind neugierige Schnüffler. Es könnte wiederkommen und andere mitbringen.«

Der Elf nickte. Der Junge auf seinem Hügel blickte

auf. »Seid ihr immer noch da?« fragte er. »Ihr sollt weggehen, hört ihr nicht? Geht weg!« Er faßte sich mit der Hand an die Stirn. Die Lichtung schien ihm vor den Augen zu verschwimmen, die Gestalt zu verändern, in seltsamen Farben zu leuchten und an seinen verwirrten Augen vorbeizustürzen.

Plötzlich vernahm er ganz in seiner Nähe eine Stimme. »Hör zu«, sagte sie von irgendwo über ihm, »du kommst mit mir. Wir kümmern uns um dich. Kannst du mich hören?«

Der Junge murmelte etwas und wandte den Kopf ab.

»Kannst du mich verstehen?« fragte die Stimme wieder. »Wir kümmern uns um dich. Kommst du mit?«

Der Junge starrte nach oben, dann kam er taumelnd auf die Füße. »Nein!« schrie er. »Nein! Ich brauche keine Hilfe!« Damit drehte er sich um und wollte humpelnd die Lichtung verlassen.

Needle kam mit langen Schritten heran, schnappte sich den Jungen und schwang ihn sich über die Schulter. Der Junge hing kopfüber wie ein Sack und lächelte schwach.

»Kommt!« sagte Needle zu den anderen.

Die Bäume zogen ihre Äste ein, um sie durchzulassen.

MAN HATTE IHN IMMER den Idioten genannt. Seit seine Eltern gestorben waren und seine Tante Lace ihn bei sich aufgenommen und damit ihre Kinderschar noch vergrößert hatte, hatten die anderen Reimerkinder ihn wegen seines Aussehens und wegen seins Ganges gehänselt. Durch die Krankheit, die seine ganze Familie befallen und seine Eltern dahingerafft hatte, war er als kleines Kind mit Narben übersät gewesen und im Wachstum zurückgeblieben. Davon war jetzt zwar nichts mehr zu sehen, aber eines seiner Beine war kürzer als das andere. Allzu schlimm war es nicht; er konnte immer noch laufen, allerdings hinkte er. Aber die Kinder verspotteten ihn. Ständig hieß es: »Nob, der Krüppel! Nob, der Dummkopf!« Zuerst war er ihrem Hohn mit schüchternem Lächeln und einer flehentlichen Geste begegnet, aber er hatte bald gelernt, weder zu lächeln noch zu betteln. Trotzdem war es ihm in den ganzen Jahren des Wartens niemals in den Sinn gekommen, daß man ihn vielleicht nicht an der Geschichtensuche teilnehmen lassen würde, wenn seine Zeit kam.

Jedes Jahr im Spätsommer schickten die Reimertruppen ihre Kinder aus, damit sie nach Geschichten suchten und sie als neuen Stoff für die Aufführungen des kommenden Jahres einbrachten. Die Reimer waren Schauspieler, Sänger, Musikanten, fahrendes Volk, das von Stadt zu Stadt zog und für Geld kleine Theaterstücke aufführte und sang. Sie waren merkwürdige

Leute, auf der Bühne fröhlich und witzig, ansonsten schweigsam und zurückgezogen. Sie blieben unter sich, die meisten Truppen bestanden aus zehn oder zwölf Familien, die gemeinsam durch die Lande zogen und sich die Einkünfte aus ihren Auftritten teilten. Aber sie brauchten Geschichten wie andere Leute Essen und Trinken, und so machten sich die jungen Leute, die Schauspieler werden wollten, im Sommer für eine Weile allein auf den Weg und suchten nach Erzählungen, nach Gedichten oder Liedern, um sich damit die Anerkennung als vollwertige Mitglieder ihrer Truppe zu verdienen.

In diesem Jahr hielt sich eine der Truppen in der Stadt App auf, einem kleinen verschlafenen Dorf am Rand eines Waldes. Ihre notdürftigen Unterkünfte hatten sie planlos an einer der Straßen im äußeren Teil des Ortes errichtet. Jeden Morgen rollten die Wagen die Straße hinunter zum Hauptplatz, wo die Reimer ihre wackelige Bühne aufstellten und zur Unterhaltung der Dorfbewohner ihre Vorstellungen gaben. Wo immer die Reimer hinkamen, erhielten sie Beifall und wurden gut bezahlt, aber man betrachtete sie stets mit Argwohn und verbannte sie an den Rand der Städte, in die schmalsten Straßen und die verkommensten Gegenden. Sie teilten ihre Unterkünfte mit Landstreichern und Tippelbrüdern, die in den Städten auf ihrem Wege wie die Staubfliegen kamen und gingen. Wenn ihr Aufenthalt zu Ende war, beluden die Reimer ihre Wagen und zogen weiter zum nächsten Dorf, zum nächsten Hauptplatz, neuen Gesichtern entgegen.

Doch nun war die Zeit für die Geschichtensuche gekommen. Die Kinder und ihre Eltern versammelten sich mitten auf der Straße, um zu hören, wie ihr Ältester die Namen derer bekanntgab, die sich auf den Weg machen sollten. Der Älteste war ein dicker Mann mit melancholischem Gesicht, und er verlas die Namen langsam und feierlich. Die Familien standen wartend um ihn herum, obwohl alle wußten, wer diesmal an der Reihe war: Alle Kinder, die das Alter von zwölf Jahren erreicht hatten, mußten gehen. Aber trotzdem hörten sie aufmerksam zu, freuten sich an der Zeremonie und umarmten ihre Söhne und Töchter, wenn deren Namen aufgerufen wurden. Manchmal zögerte der Älteste, schimpfte auf den Schreiber wegen seiner schlechten Handschrift und wischte sich mit einem großen Tuch die Stirn ab.

»Lar«, sagte er und ließ den Namen langsam auf der Zunge zergehen. »Und seine Zwillingsschwester Laren. Merriam. Gill. Pun. Loop. Oak. Elm. Nara. Was ist das? Was? Ich kann es nicht lesen. Ach so, Grin und Nip.«

Als die Liste zu Ende war, jubelten die Familien und wandten sich zum Gehen. Das Mädchen Laren hatte vor Aufregung ganz rote Wangen. Als sie sich umdrehte, stand Nob neben ihr. Er starrte den Ältesten und seine Liste an und schien nicht zu wissen, wo er war.

Laren seufzte. »Geh mir aus dem Weg, Nob!« sagte sie. »Mach Platz. Die Aufzählung ist vorbei.«

Der Junge zuckte zusammen, dann blickte er sie an, schüchtern, dumpf, wie ein Tier. Er streckte eine Hand aus, und sie sah, daß er Tränen in den Augen hatte. »Seht nur!« kreischte sie. »Nob – Nob weint! Der Idiot weint! Er hat geglaubt, er dürfe auch mit auf Geschichtensuche gehen!«

Die Reimer drehten sich um und drängten heran.

Die Kinder, ältere und jüngere gleichermaßen, begannen ihn zu verspotten.

Nob wich zurück und wedelte aufgeregt mit den Händen, dann wandte er sich ab und hinkte die Straße hinunter, so schnell er konnte.

»Mach dir nichts draus, Nob!« tröstete ihn seine Tante. »Du bleibst hier bei mir und den Kleinen.«

»Ich will aber nicht«, sagte der Junge, und plötzlich packte ihn die Wut.

»Ts, ts, ts,« meinte Tante Lace fröhlich. »Hier kannst du eine ebenso gute Geschichte finden wie anderswo.«

Eine Woche verging und noch eine. Die Reimer versammelten sich in der Mitte der staubigen Straße und verabschiedeten ihre Kinder mit viel besorgtem Gejammer und Geschimpf.

»Lebt wohl!« riefen die Jungen und winkten. »Lebt wohl!« kam es von den Eltern, Tanten, Onkeln und Freunden zurück. Eifrig schwatzend wanderten die Kinder in einer Gruppe die Straße hinunter, die aus der Stadt führte. Sobald sie weit genug weg waren, würden sie sich trennen, jeder würde für sich allein seiner oder ihrer Geschichte folgen. Die Reimer riefen und winkten. Sogar ein alter Tippelbruder, der sich am Straßenrand auf einen ebenso alten Stock stützte, blickte auf und schwenkte eine leere Weinflasche. Die Fliegen pfiffen wie Geißeln um die Augen, Ohren und Münder der Menschen herum.

Nob stand auf der Schwelle und sah den anderen Kindern nach. Er wartete ein Weilchen und rieb sich den Staub aus den Augen. Dann ging er hinein und nahm sich einen alten braunen Sack. Niemand war in der Hütte; Tante Lace und ihre Schar verabschiedeten die anderen. Der Junge hinkte hinaus, den Sack fest umklammert, die Augen auf die kleine Gruppe von Kindern weit unten auf der Straße gerichtet. Dann ging er ihnen entschlossen, mit festen Schritten nach.

Zuerst bemerkte es keiner, aber plötzlich packte jemand Tante Lace am Arm und flüsterte ihr zu: »Sieh nur! Ist das nicht Nob?«

Seine Tante drehte sich um.

Das Geflüster ging wie eine Welle durch die Menge.

»Seht nur! Seht! Es ist der Dummkopf!«

»Was tut er denn?«

»Er will mit den anderen gehen!«

»Das ist unmöglich! Er kommt doch nicht allein zurecht! Holt ihn zurück! Holt ihn zurück!«

Aber niemand regte sich. Alle standen da und sahen ein wenig beschämt zu, wie Nob eifrig die Straße hinabhinkte.

DREI

DER TAG BRACH WEIT AUF wie ein Ei. Die Sonne sikkerte langsam durch die Bäume, Lichtflecken glitten über den Boden und verschmolzen vor der Tür zu einem kleinen Teich.

Im Innern der baufälligen Hütte öffnete Needle die Augen. Er stand auf, schüttelte sich die Träume aus dem Kopf und stolperte gähnend hinaus, um Wasser für den Kessel zu holen.

In der graugrünen Dunkelheit hinter der Tür drehte sich Stout auf seinem Strohsack um und murmelte vor sich hin. Hopeless sperrte das geifernde Maul weit auf und gähnte ausgiebig. Twelve öffnete die Augen, war nach Art der Hexen auf der Stelle hellwach und betrachtete den schlafenden Jungen mit zusammengekniffenen Augen.

Nob lag auf einer Matte, er hatte einen Arm unter den Kopf gelegt, und das Gesicht zuckte in bösen Träumen. Der Körper war mager, er wirkte erschöpft und zerbrechlich. Die drei hatten den kleinen Sack mit seinen Habseligkeiten neben dem Hügel gefunden und mitgenommen. Jetzt stand er neben seinem Kopf.

Die Hexe starrte den Jungen voller Wut und Abscheu an. Dem Aussehen nach war er etwa in ihrem Alter. Sie drehte sich um und rief leise: »Hopeless! Hopeless, komm her!«

Der alte Hund brummte im Schlaf und wedelte schwach mit dem Schwanz.

»Hopeless!« flüsterte Twelve, und die graue Gestalt erhob sich, schlurfte durch den Raum und ließ sich in einer Staubwolke neben ihrem Bett zu Boden fallen.

Der Hund seufzte und schlief gleich wieder ein. Die Hexe vergrub die Hände in dem mottenzerfressenen Fell und flüsterte zornig vor sich hin. Stout schnarchte auf seinem Bett, und Needle war draußen. Twelve sah sich um. Dann stand sie auf, schlich durch den Raum und blieb neben dem schlafenden Jungen stehen. Noch einmal sah sie sich um. Dann trat sie ihm fest mit dem Fuß in die Rippen.

Nob zuckte stöhnend zusammen. Er wollte aufstehen. Die Hexe versetzte ihm noch einen Tritt.

Eine langbeinige Gestalt kam durch die Luft geflogen, Needle packte Twelve mit festem Griff, hob sie auf und trug das kreischende Bündel hinaus. Stout war schon auf den Beinen, blinzelte wie ein Maulwurf und nuschelte: »Was'n los?« Doch dann sah er, daß der Junge sich ächzend die Seite hielt. Der Zwerg kniete nieder und untersuchte Nobs Prellungen. »Nicht allzu schlimm«, murmelte er. Der Elf kam mit starrem, grimmigem Gesicht wieder herein.

Das Hexenkind folgte ihm mit feuchtglänzenden Augen, den Hund neben sich. Sie ging an den Tisch, setzte sich und faltete geziert die Hände im Schoß.

»Der Junge ist Gast in unserem Haus«, verkündete Needle, »und als solcher wird er auch behandelt. Keine Gehässigkeiten, keine kleinliche Eifersucht. Hast du mich verstanden, Twelve?«

»Ja«, sagte die Hexe und grinste ihn böse an.

»Glaub nur ja nicht, daß ich nicht weiß, was das bedeutet«, antwortete er. »Aber du kommst nicht noch einmal an ihn heran. Ab jetzt behalte ich dich im Auge.«

Nob sah zu ihm auf und prägte sich das schmale Gesicht genau ein, die tiefen Falten und Runzeln, den dunklen Haarschopf und die laubgrünen gütigen Augen, die ein wenig zurückhaltend dreinblickten. »Zeit zum Frühstück«, sagte Needle.

Sie gaben Nob Suppe und Brot; er vertilgte alles und hielt seine Schale hin, um sie noch einmal füllen zu lassen. Die Hexe saß neben ihm und aß sehr manierlich, sie brach ihr Brötchen sorgfältig in kleine Stücke, köpfte säuberlich eine Frucht und schnitt sie in Würfel. Unter dem Tisch fütterte sie Hopeless mit Brotstückchen. Jedesmal, wenn Needle sie ansah, lächelte sie ihm zuckersüß zu.

Nach dem Frühstück wurde der Junge wieder zu seiner Matte geführt, und dort fiel er in den Schlaf der Erschöpfung. Als er das nächste Mal erwachte, war es Nacht, und Needle und Stout saßen auf ihren Stühlen an der leeren Feuerstelle und lasen im Schein von dikken Wachskerzen. Die tropfenden Kerzen und die Pfeife des Zwergs, an der er heftig zog, verbreiteten einen starken Geruch nach Rauch. Needle tränten von dem stechenden Qualm die Augen.

»In Gottes Namen, könntest du deine Pfeife bitte draußen rauchen?« fragte er gereizt.

Murrend stand der Zwerg auf, nahm eine Kerze vom Tisch und stapfte, das Buch unter dem Arm, zur Tür hinaus.

Nob richtete sich auf.

»Du bist also wach«, sagte der Elf.

Nob starrte ihn an. Der Elf erwiderte den Blick unverwandt. »Es ist ungezogen, jemanden anzustarren«, mahnte Needle sanft, dann wandte er sich wieder seinem Buch zu.

Nob blickte sich um in dem kleinen Zimmer mit der Feuerstelle, dem wackeligen Tisch, den Stühlen und den beiden größeren Sesseln, die Stout und Needle zum Lesen verwendeten. Der Raum wirkte abgewohnt und irgendwie verlottert.

Der Junge hatte nur schwache Erinnerungen an die letzten paar Tage, alles ging durcheinander; hier und dort ein bruchstückhafter Eindruck, ein Gesicht, das sich besorgt über ihn beugte, eine Stimme ... er schüttelte den Kopf. Er wußte noch, daß er in den Wald gegangen war, um sich etwas zu essen zu suchen, er erinnerte sich, daß er ziellos und hungrig umhergestreift war, daß ihm sogar die Bäume Streiche zu spielen schienen, daß sie Wege öffneten und schlossen und vor den Augen verschwanden.

Stout kam in den Raum zurück und warf einen schnellen Blick auf den Jungen. »Hungrig?«

Nob nickte.

Als er gegessen hatte, saß er unsicher am Tisch. Stout und Needle waren in ihre Bücher vertieft. Nachdem sie ihm zu essen gegeben hatten, hatten sie sich nicht bemüßigt gefühlt, mit ihm zu sprechen.

»Wollt – wollt ihr nicht wissen, wer ich bin?« fragte er schließlich.

»Nein«, antwortete Needle.

Eine lange Pause trat ein. Stout zog geräuschvoll am Stiel seiner kalten Pfeife.

»Ich heiße Nob«, sagte der Junge und fügte dann errötend hinzu: »Der Idiot. Nob der Idiot.«

Er bekam keine Antwort. Needle blätterte eine Seite um.

Nob schaute auf seinen Teller hinunter und spielte mit Messer und Gabel herum. »Wer – wer seid ihr?«

Der Elf blickte auf. »Mich nennt man Needle, und das ist Stout.«

»Was werdet ihr mit mir anfangen?« fragte Nob.

»Nun«, sagte Needle und starrte die kalten Scheite in der Feuerstelle an, »das weiß ich noch nicht genau. Du hättest nämlich gar nicht herkommen sollen.«

Nob nickte. Er schaute hinunter auf das glatte Holz der Tischplatte. Als er blinzelte, verschwamm ihm plötzlich der Raum vor den Augen, und er stand taumelnd auf.

»Ich bin der Idiot«, sagte er. »Nob der Idiot! Die anderen – die anderen mußten gehen, aber mich wollten sie nicht mitgehen lassen ... sie ließen mich einfach nicht mit. Aber ich bin gegangen! Ich bin trotzdem gegangen. Und dann habe ich mich verirrt ... ich hatte Angst, die Städte zu betreten ... ich wußte, alle würden lachen ... über mich lachen!«

Er schwankte.

»Ich habe dir doch gesagt«, erklärte der Zwerg, »daß er schwachsinnig ist.«

»Nein«, widersprach Needle und trat vor. »Er ist nur erschöpft, das ist alles.«

Er führte den Jungen sanft zu seiner Schlafmatte zurück. Das letzte, woran sich Nob erinnerte, bevor er wieder einschlief, war der Anblick von Needles Gesicht, das sich über ihn beugte.

Die Reimer hatten oft von seltsamen Wesen im Wald erzählt, von Gesichtern, die man kurz aus dem Gebüsch spähen sah, von Gesangsfetzen, die man spät nachts hören konnte. Viele Dorfbewohner nahmen diese Berichte für bare Münze, und Jagdgesellschaften machten einen weiten Bogen um den alten Wald in der

Nähe der Stadt App. Die Geschichten wurden immer und immer wieder zum besten gegeben. Tante Lace unterhielt ihre Kinder oft mit Erzählungen von Einhörnern, Kobolden und Elfen. Sie hatte sich immer gewünscht, einmal ein Einhorn zu sehen, sagte sie, wenn auch nur ganz kurz und aus der Ferne. Nob hatte es sich neben ihr gemütlich gemacht und aufmerksam zugehört.

»Wir werden ihn wohl hierbehalten müssen«, sagte Needle, »wenigstens für eine Weile.«

Twelve nagte schmollend an der Unterlippe, während Stout neben ihr an seiner Pfeife zog und zu Boden starrte. Sie saßen unter einem Baum auf der kleinen Lichtung vor ihrem Häuschen. Ihnen gegenüber, das Gesicht im Schatten einer Eiche verborgen, lag Nob auf dem Rücken und hatte die Arme hinter dem Kopf verschränkt.

»Mir ist gar nicht wohl dabei«, sagte Stout mit gedämpfter Stimme. »Es war ja richtig, ihn zu retten und so weiter, aber das geht zu weit. Es wird nämlich viel geredet, Needle.«

»Es wird immer viel geredet«, sagte die dünne Gestalt gelassen. »Im Wald wird über jedes Blatt getratscht, das von einem Baum fällt. Das braucht uns nicht zu berühren.«

»Trotzdem«, sagte der Zwerg, »trotzdem. Es ist eine Warnung. Man sagt, es ist kein gutes Zeichen. Er gehört nicht hierher. Der Wald fürchtet, daß noch mehr Unglück kommt.«

»Noch mehr?« fragte Needle. »Mehr kann es doch gar nicht werden.«

Twelve schaute von einem zum anderen. Der Zwerg

kauerte mit hängenden Schultern da, während Needle ganz ruhig neben ihr saß und aus Zweigen und Gras einen Korb flocht. Drei Tage waren vergangen, seit sie Nob gefunden hatten, und seither war ihr klares, geordnetes Leben aus den Fugen geraten. Sogar ihren normalen Tagesablauf hatte die Anwesenheit des Jungen durcheinandergebracht: Sie gingen immer noch pflichtschuldigst ihrer Arbeit nach, aber mit den Gedanken waren sie anderswo, und ihre Bewegungen waren langsam und skeptisch wie die mühsamen Drehungen eines alten Rades. Hopeless schien ständig verstört zu sein, seit Nob hier war. Er starrte den Jungen von der anderen Seite des Zimmers her an, und das Fell sträubte sich ihm nach allen Richtungen; er kam nicht mehr an den Tisch, um sich neben Twelves Füßen niederzulassen und um Brosamen zu betteln. Wenn Nob in seine Nähe kam, senkte er den Kopf und knurrte, ein rührender Versuch, bedrohlich zu wirken.

»Er sagt, es dürfte nicht allzu lange dauern, bis seine Leute zurückkehren«, beschwichtigte Needle die anderen.

Nob war auf seiner Geschichtensuche wochenlang umhergestreift, war hier und dort einer Geschichte nachgegangen, hatte sich am Rand von Städten herumgetrieben und war immer weiter die Straße entlanggestapft, bis er schließlich, völlig verzweifelt, in den Wald eingedrungen war, um nach Nahrung zu suchen. Er wußte, daß die Reimer schon lange weitergezogen sein mußten. Die Geschichtensuche dauerte normalerweise eine Woche oder vielleicht auch zwei, aber in dieser Zeit hatte kein Stoff zu ihm gefunden, und so ging er unbeirrt weiter und schnüffelte wie ein Hund im Umkreis der Städte herum. Er wußte, daß die anderen Geschichtensucher sicher schon zurückgekehrt waren, und ihm war auch schmerzlich bewußt, daß seine Leute nicht auf ihn warten würden. Seine Tante würde sie anflehen, noch ein wenig zu bleiben, aber die anderen würden annehmen, er habe sich verirrt, sei tot oder davongelaufen, und sie mußten ihren Terminplan einhalten und in der nächsten Stadt Vorstellungen geben. Die Reimer nahmen jedes Jahr eine andere Route, daher konnte niemand sagen, wohin sie als nächstes gehen würden; aber Nob war sicher, daß sie sich früher oder später wieder dem Wald zuwenden, sich nach Süden vorarbeiten und vielleicht in Ague, Mud oder Rinaldan Station machen würden, um dort aufzutreten.

»Ich werde die Raben ausschicken, damit sie die nahegelegenen Dörfer beobachten«, sagte Needle. »Sie werden es uns sagen, wenn die Reimer zurückkehren.«

»Wenn wir Kay und seinem Diebsgesindel so weit trauen können, daß sie uns auch alles berichten, was sie sehen«, meinte der Zwerg verbittert.

Twelve sagte nichts. Sie saß da, das olivbraune Haar umgab sie wie ein Mantel, und eine Hand streichelte mechanisch Hopeless' Rücken. Der Hund hob den Kopf und sah sie mit seinen im Lauf der Jahre blau und trübe gewordenen Augen liebevoll an.

»Es ist Zeit«, sagte Needle, »Granny Weil einen Besuch abzustatten.«

Stout, der hinter einem großen Haufen von Kleidungsstücken am Tisch saß und eifrig mit Flicken und Stopfen beschäftigt war, stöhnte. »Nicht schon wieder, schon so bald!« rief er.

»Ich fürchte doch«, sagte der Elf und richtete ein Bündel mit Lebensmitteln her. »Offenbar geht sonst keiner hin.«

»Und was sollen wir mit *ihm* anfangen?« fragte Stout und zeigte auf den Jungen, der in der Nähe des Fensters saß und jetzt aufschaute.

»Warum nehmen wir ihn nicht mit?« schlug Needle vor. »Vielleicht möchte Granny ihn gern kennenlernen.«

Twelve grinste. »Es gibt *niemanden*«, sagte sie, »den Granny gern kennenlernen möchte.«

»Nimm deine Jacke«, sagte Needle zu Nob, »draußen ist es kalt.«

Sie verließen das Haus, versperrten die Tür und hielten die Gesichter in den frischen Wind. Ringsum kleidete sich der Wald in immer tiefere Gold-, Violett- und sanfte Lavendeltöne. Hopeless blieb am Feuer zurück.

Zur Behausung von Granny Weil mußte man eine Stunde weit gehen. Sie lebte ziemlich in der Mitte des Waldes in einer tiefen, in die Flanke eines kleinen Hügels hineinführenden Höhle, auf allen Seiten von krümeliger Erde umgeben. Als die vier den Hügel erreichten, blieben sie am Höhleneingang stehen.

Needle räusperte sich. »Granny?« rief er. »Granny? Granny Weil?«

Es kam keine Antwort.

Needle trat von einem Fuß auf den anderen. »Granny?« rief er, und seine Stimme hallte von den krümeligen Wänden wider, so daß es aus anscheinend unendlichen Fernen »*Granny? ... Granny? ... Granny?*« tönte.

Sie warteten, aber von drinnen kam nichts, kein Geräusch, keine Bewegung.

Twelve kicherte. »Das sind wieder ihre Mätzchen«, murmelte sie.

»*Sssch!*« machte Needle.

»Was für Mätzchen?« flüsterte Nob. »Wer ist sie denn?«

»Bleib zurück!« rief ihm Stout. »Geh nicht zu dicht heran! Man weiß nie, wann sie herauskommt.«

Alles war still. Noch einmal beugte sich Needle vor und rief in die Dunkelheit hinein: »*Granny! Granny Weil!* Wir sind hier! Wir – wir wollen dich besuchen!«

Es kam keine Antwort, keine Antwort, aber auf einmal verdichtete sich ein Teil der Dunkelheit im Inneren der Höhle. In der Ferne war eine zusammengekauerte Gestalt zu erkennen.

»Granny?« fragte Needle und spähte angestrengt hinein.

Sie warteten, und nach langem Schweigen drang eine Stimme heraus. »*Eh?*« fragte sie nörgelnd.

»Da bist du ja, Granny!« rief Needle. »Dürfen wir hineinkommen?«

»*Eh?*« wiederholte die Greisenstimme.

»Ich bin es, Needle!« rief der Elf. »Needle, Stout und Twelve! Wir wollen dich *besuchen!* Willst du uns nicht hineinlassen, Granny?«

Eine Pause trat ein.

»Geht weg!« fauchte dann die Stimme gereizt, die Gestalt drehte sich um und verschwand.

Needle trat zurück und murmelte Stout wütend etwas zu. Twelve drückte sich am Eingang herum und spähte in die Höhle hinein, und Nob hinkte zu ihr hin, um besser sehen zu können. Aber es gab nichts zu sehen außer dem dunklen Fleck, der wie eine Fledermaus in der Höhle hing.

»Granny«, schmeichelte Needle und holte den Korb mit dem Essen hervor, »sieh mal, wir haben dir ein Mittagessen mitgebracht. Möchtest du nicht doch, daß wir hineinkommen?«

Keine Antwort.

»Granny«, sagte der Elf, und seine Stimme war ebenso dünn wie seine Lippen, »wenn du uns nicht hineinbitten willst, dann lassen wir eben den Korb da und gehen weg. Hörst du mich?«

»So geht das jedesmal«, flüsterte Stout dem Jungen zu. »Immer das gleiche, jedesmal wieder.«

»Wir gehen fort, ich sage es dir!« Needle schrie jetzt. »Wir gehen fort, und wir kommen nicht wieder! Kannst du mich hören?«

»Immer das gleiche«, sagte Stout. »Bei jedem Besuch.«

Needle warf den Korb zu Boden und beförderte ihn mit einem Fußtritt in die Höhle. Dann beugte er sich vor und schrie wütend einen letzten Abschiedsgruß. Er hatte sich, gefolgt von den anderen, gerade ein paar Schritte entfernt, als die Stimme auf einmal beleidigt sagte: »Du hast alles verschüttet!«

Needle drehte sich seufzend um. Stout flüsterte ihm etwas ins Ohr. Nob schlich mit weit aufgerissenen Augen zum Höhleneingang zurück.

Der Zwerg beugte sich vor und wollte etwas sagen, aber ehe er dazu kam, verlangte die Stimme in völlig anderem Ton zu wissen: »*Was ist das?*«

»Was?« schrie Stout.

»*Das!* Da, neben dir.«

Stout blickte sich um, dann packte er Nobs Arm und rief: »Meinst du den da, Granny?«

»*Jaaa*«, seufzte die Stimme. »Was ist es?«

»Das ist ein Freund von uns, der dich auch besuchen möchte!« rief der Zwerg.

Eine lange, von Echos erfüllte Pause folgte, dann fragte die Stimme: »*Ist es ein Mensch?*«

Stout sah Needle an, dann antwortete der Zwerg: »Ja.«

Der dunkle Fleck zischte und schnalzte laut und anhaltend, dann verkündete die Stimme ganz schrill vor Aufregung: »*Den koche ich mir zum Abendessen!*«

Nob zuckte zurück und blickte sich wild um.

»*Erst koche ich ihn, dann schneide ich ihn auf, und dann esse ich ihn!*« schrie die Stimme, schließlich doch interessiert, und weit entfernt im hinteren Teil der Höhle wurde eine Kerze entzündet. Nob konnte in dem kleinen Lichtkreis, den sie warf, nichts sehen, aber die Stimme hauchte: »Kommt doch herein ... ja, kommt nur herein!« und beendete die Aufforderung mit einem hohen wilden Gackern. Die Kerze entfernte sich von ihnen und schwebte ins Herz des Hügels hinein.

»*Nein!*« schrie der Junge, fuchtelte mit den Armen und wehrte sich, als die anderen ihn nach vorn schieben wollten. Needle legte ihm die Hand auf den Mund und flüsterte: »Dir wird nichts geschehen!«

Twelve lachte.

Der kleine Hügel, in dem Granny Weil wohnte, war wie ein Schneckenhaus angelegt: hohl, mit einem langen spiralförmig verlaufenden Gang, der zu einem Hauptraum im Herzen des Hügels führte. Sie gingen durch tiefe Dunkelheit, ihr einziger Wegweiser war die schwach leuchtende Kerze, die Granny Weil in der Hand hielt und die sich ständig im Kreis zu bewegen schien, bis Nob der Kopf schwirrte. Vor ihnen sprach die kleine Gestalt unaufhörlich leise mit sich selbst, schnalzte und zischte und knirschte gräßlich mit den Zähnen.

Endlich, nach vielen Schritten, erblickte der Junge einen schwachen Lichtschein. Sie kamen zu einem kleinen feuchten Raum mit einem Fußboden aus gestampfter Erde und tropfnassen Moosbärten an den Wänden. An einer Seite befand sich eine geschickt angelegte Feuerstelle. Granny Weil, eine kleine dicke Gestalt, die sich vor dem Flammenschein scharf abzeichnete, betrat die Kammer und ging hinüber zu einem riesigen Kessel, ebenso groß wie sie selbst, der über dem Feuer stand. Twelve, Needle und Stout traten hinter ihr ein und zogen den Jungen mit.

Granny Weil drehte sich um, grinste und ließ dabei ein erstaunliches Sortiment abgebrochener gelber Zähne sehen. »Kommt herein, nun kommt doch herein!« gackerte sie. »Kommt herein! Kümmert euch nicht um den toten Hund, kümmert euch überhaupt nicht darum, meine Lieben, macht einfach einen Bogen um ihn. Und nun kommt schon!«

Auf dem Boden zu ihren Füßen lag ein kleines mageres Tier, ein Zwischending zwischen Hund und Ratte, das die Besucher schläfrig anblinzelte und mit gewaltiger Anstrengung das Maul öffnete, um zu knurren. Es hatte am ganzen Körper weiße, braune und rosa Flecken und war fast überall haarlos bis auf einen Fellstreifen auf dem Rücken und ein paar abgebrochene weiße Schnurrhaare, die ihm borstig aus der Nase ragten. Nachdem es geknurrt hatte, schloß es die Augen und schlief wieder ein.

»*Heh-heh-heh*, ein toter Hund«, sagte Granny Weil, drehte ihnen den Rücken zu und machte sich am Kessel zu schaffen.

Nob blickte auf, eine angstvolle Frage in den Augen, und begegnete Needles warnendem Blick. »Das ist ihr Vertrauter, ein Geist in Gestalt eines Hundes. Früher hat er ihr beim Zaubern geholfen«, murmelte der Elf. »Aber sie bringen beide nichts mehr zustande, und deshalb tut sie gern so, als wäre er tot. Er schläft jetzt die ganze Zeit.«

»*Heh-heh-heh*, meine Lieben«, sagte die alte Hexe und hörte nicht auf, in ihrem Kessel zu rühren. »*Heh-heh-heh!* Möchtet ihr einen Happen essen?« Sie drehte sich um und grinste sie höhnisch an, und jetzt hatte Nob erstmals Gelegenheit, Granny Weil eingehend zu betrachten.

Sie war alt und dick und ebenso breit wie hoch. Sie trug ein geflicktes Kleid in vielen Farben, mit einem langen Unterrock, der bei den Füßen über den Boden schleifte, und einem blauen Band um die Taille. Irgendwie wirkte sie plump und weich, sozusagen schwammig, was ihr ein ziemlich behäbiges Aussehen verlieh. Aber ihr Mund war abscheulich, eingesunken und voller Falten, Gesicht und Hände waren kreuz und quer von winzigen Runzeln durchzogen, als hätten sich Spinnweben darauf eingedrückt. Und die Augen paßten irgendwie nicht zu allem anderen, sie waren nicht ganz blau und nicht ganz braun, eher dunkel als hell. Jetzt lächelte sie ihnen zu und schwenkte einen Holzlöffel. »*Heh-heh-heh!*« keckerte sie. »*Heh-heh-heh!* Möchtet ihr einen Happen essen, meine Lieben?«

»Das wäre sehr nett, Granny«, sagte Needle steif und zeigte auf den Korb. »Warum siehst du nicht mal hier hinein?«

»*Nein!*« kreischte die alte Frau und spuckte nach

ihm. »Nein! Euer fades Zeug mag ich nicht! Ich weiß, was wir essen ... ja, ich weiß, ich weiß ...« Vor sich hinmurmelnd, huschte sie geschäftig zu einem der Regale hinüber, die sich an ihren Wänden entlangzogen und bis zum Überquellen mit Phiolen, Büchern und zerbrochenem Geschirr vollgestellt waren. Sie wählte sorgfältig mehrere verstaubte kleine Gefäße und trug sie zum Tisch. Dann stemmte sie den Deckel des ersten Behälters auf und hielt den Inhalt in die Höhe.

»Ekelkraut!« verkündete sie und warf das Zeug in den dampfenden Kessel. Die nächste Zutat wurde als Salamanderhaut bezeichnet, die darauffolgende als Wolfsgift, dann kamen Mäuseeingeweide, Ziegenaugen und weißes Eulenblut. Kichernd und fauchend gab die alte Hexe alles in ihre Brühe hinein.

Als sie fertig war, fuhr sie herum und hob den Holzlöffel. »Heh-heh-heh!« Ein wenig Brühe spritzte heraus. »Die Suppe ist fertig! Und wer will nun als erster kosten, meine Lieben? Wer?«

Needle wollte vortreten, aber Grannys Augen glitten über ihn hinweg, und sie kreischte: »*Nein! Haltet ihn! Haltet ihn!*«

Nob war aus dem Zimmer geschlüpft und stürmte nun den Gang entlang.

Mit drei großen Sprüngen hatte Needle ihn eingeholt. Der Elf nahm den protestierenden Jungen in die Arme und trug ihn in die Kammer zurück.

»*Er* soll meine Suppe kosten!« rief die alte Hexe begeistert.

Der Junge wehrte sich wie besessen, aber Needle hielt ihn fest, beugte sich zu ihm hinunter und flüsterte ihm ins Ohr: »*Es ist schon gut, ich sage es dir, es ist alles in Ordnung.*«

»Nun komm schon, mein Lieber!« winselte die Alte und neigte sich über ihn. »Komm, komm, es tut auch bestimmt nicht weh. Nur einen kleinen Schluck von Grannys Süppchen, sei ein braver Junge. Ein ganz braver Junge. Nur einen kleinen Schluck.«

Und dann stemmte sie mit einem spitzen Schrei Nobs Mund auf und füllte ihn wie einen Becher mit brennend heißer Flüssigkeit.

Der Junge keuchte und würgte, das Wasser lief ihm aus den Augen, aber er schluckte tapfer. Hustend blickte er Granny wütend in die Augen.

Die Suppe schmeckte köstlich.

»Siehst du?« flüsterte Needle. »Sie erfindet diese Namen für die Zutaten wirklich nur, weil es ihr Spaß macht.«

Die ganze Zeit über hatte der Rattenhund friedlich geschlafen. Jetzt öffnete er ein Auge und zwinkerte Nob zu.

Twelve lachte schrill.

»Ist sie Twelves Großmutter?« wollte Nob von Needle wissen.

Der Elf schüttelte den Kopf. »Sie gehört zu uns allen«, sagte er traurig.

Drüben neben dem Feuer stieß Granny plötzlich einen durchdringenden Schrei aus. »Jetzt sind wir soweit!« rief sie, und schlurfte, auf einem Tablett unsicher vier Schalen balancierend, zum Tisch hinüber. »Mittagessen! Essenszeit, meine Lieben!«

Sie setzten sich auf die wackeligen Stühle und machten sich über die Suppe her. Granny stand da, eine der runzligen Hände auf Needles Schulter gelegt, und grinste sie die ganze Zeit über an.

»So ist's recht«, sagte sie immer wieder. »So ist's

recht, meine Lieben. Eßt nur alles auf. Granny hat doch ein gutes Süppchen gekocht.«

Hin und wieder gackerte sie mit hoher pfeifender Stimme und schaute zu dem Hund hinüber, aber der öffnete kein einziges Mal die Augen, um ihren Blick zu erwidern.

Als sie fertig waren, brachte sie einen Erdbeerkuchen und schnitt für jeden ein großes Stück ab. Alle protestierten, sie seien schon satt, aber sie schlug mit dem Löffel auf den Tisch, bis die Schalen wackelten. »Wie könnt ihr es *wagen?*« kreischte sie. »Wie könnt ihr es *wagen?*«

Folgsam bissen sie in den Kuchen, die süßen Früchte zerplatzten im Mund, stiegen auf wie Blasen und schmeckten kühl und scharlachrot.

»So ist's schon besser«, fauchte die Hexe, und ihre welke Hand zitterte auf Needles Schulter.

Nach dem Essen fuhrwerkte sie am Tisch herum, riß das Geschirr an sich und stapelte alles in der Ecke im Staub hoch auf. »Abgewaschen wird später«, murmelte sie, setzte sich in einen uralten Schaukelstuhl an den Tisch und lächelte ihnen zu.

»Nun, mein Lieben«, sagte sie, »was habt ihr mir heute zu erzählen?«

Needle, Stout und Twelve zögerten und sahen sich an.

»Nun ja, Granny«, begann der Elf, »wie du weißt, steht der Winter vor der Tür, und wir haben Vorräte gesammelt für die ...«

»*Darüber will ich nicht reden!*« kreischte die Alte, erhob sich halb aus ihrem Stuhl und fauchte ihn giftig an. Alle verstummten erschrocken, während sie sich sogleich wieder in die Kissen sinken ließ und sich sorgfältig mit einer Hand das zerlumpte Kleid glatt strich.

»Nun, worüber möchtet ihr denn sonst gern sprechen?« erkundigte sie sich.

Nob war wie vom Donner gerührt. Die anderen rutschten unbehaglich auf ihren Stühlen herum.

Dann war Twelve an der Reihe. »Ich weiß nicht, ob ich schon letztes Mal davon gesprochen habe, Granny«, legte sie los und fuhr dabei mit den Händen nervös über den Tisch, »aber die Bäume haben mir *solche* Geschichten erzählt über ...«

»*Ich will nichts davon hören!*« kreischte die alte Hexe, schaukelte mit ihrem Stuhl nach vorn und schlug krachend mit der Hand auf den Tisch. »*Bäume!* Die Bäume sagen dies, die Bäume sagen jenes! Etwas anderes fällt dir nie ein!«

Twelve verstummte, die Tränen schossen ihr in die Augen. Sie senkte den Kopf.

Alle saßen verschüchtert unter Grannys bösen Blicken, aber schließlich räusperte sich Stout und setzte sehr vorsichtig an: »Als die Gnomen zum letzten Mal hier waren, Granny, sollst du ihnen gesagt haben ...«

»Heiliger Himmel!« fauchte die Alte. »Wenn ihr nichts zu erzählen wißt, dann *seid doch still!*«

Eine längere Pause trat ein. Alle vier saßen mit gesenkten Köpfen da, die Augen starr auf das knorrige Holz der Tischplatte geheftet. Am Kopfende des Tisches schaukelte die alte Frau hin und her. »Dummköpfe«, hörten sie sie murmeln, »Dummköpfe alle miteinander.«

Plötzlich fiel ihr Blick auf den Reimerjungen. Die Alte beugte sich vor und hielt den Stuhl an, der mit lautem Knarren protestierte. Sie legte eine Klaue auf den Tisch und lächelte Nob bedächtig zu.

»Junge«, fragte sie, »was hast du mir denn heute zu erzählen?«

Nob hob den Kopf.

»Junge«, wiederholte sie, »Junge, was hast du mir zu sagen?«

»Granny«, mischte sich Needle ein, »ich glaube, du …

»*Halt den Mund!*« fuhr ihn die Hexe an und schlug mit dem Löffel auf den Tisch. »Halt den Mund, hörst du?« Dann wandte sie sich wieder an den Jungen und flüsterte lächelnd: »*Sprich mit mir!*«

Der Junge betrachtete ihre tiefliegenden Augen, die abgetragenen Kleider und die rundliche, behäbige Gestalt, und plötzlich mußte er an seine Tante denken, wie sie klein, rundlich und behäbig vor dem Fenster saß und sich aus der Luft Geschichten zusammenspann.

»Ich – ich weiß eine Geschichte, die ich erzählen könnte«, begann er zögernd.

»Eine Geschichte!« schrie Granny Weil. »Gut, gut – eine Geschichte! Erzähl mir eine Geschichte!« Damit lehnte sie sich zurück und fing an, heftig mit ihrem Stuhl zu schaukeln.

Nob blickte in die Runde und begann ganz kleinlaut: »Diese Geschichte handelt von …«

»*Lauter!*« befahl Granny und schlug im Hin- und Herschwingen immer wieder auf die Armlehne des Stuhls.

»Diese Geschichte«, schrie Nob, »handelt von einer Hexe – von einer Hexe, die in einem großen dunklen Wald lebte.«

Er verstummte. Grannys Stuhl machte *quiek, quiek* ... *quiek, quiek* ... *quiek, quiek* in der Stille.

»Sie war eine mächtige Hexe, sehr mächtig, in ihrer besten Zeit war sie der Schrecken der Wälder«, sagte der Junge langsam. »Sie richtete nie wirklichen Schaden an, aber wenn jemand sie ärgerte, pflegte sie ihn zur Strafe in eine Maus zu verwandeln, und dann erwischte ihn manchmal eine Eule, ehe sie Gelegenheit fand, ihm seine wahre Gestalt wiederzugeben. In solchen Fällen trauerte und weinte sie oft tagelang. Sie handelte oft aus Gehässigkeit, denn Hexen sind sehr gehässige Wesen, aber hinterher tat es ihr immer leid.«

Er hielt inne. Der Stuhl hatte zu schaukeln aufgehört. Granny Weil beugte sich vor.

Nob schaute auf den Tisch hinab. Die Hände zitterten ihm. Die einzigen Zuhörer, die er bis dahin je gehabt hatte, waren das Feuer und manchmal die kleine Gertrude gewesen, das jüngste Kind seiner Tante. Die anderen Kinder übten, indem sie sich gegenseitig Geschichten erzählten, aber er hatte keine Freunde gehabt und konnte daher nicht wissen, daß er mit einer besonderen Gabe gesegnet war. Er hatte jedoch immer die Fähigkeit besessen, hier einen Hinweis und dort einen Blick aufzufangen und in Geschichten einzuflechten, die er sich dann selbst erzählte.

»Ja, sie bereute es stets bitter«, sagte er. »Und die Wesen, die wirklich unter ihrem Schutz standen, waren auch gegen alles gefeit. Sie und – und ihr Hund ...« – sein Blick war auf den Rattenhund gefallen, der, in seine endlosen Träume versunken, an der Wand lag –, »pflegten durch die Wälder zu streifen, Zauber zu wirken, Streitigkeiten vom Zaun zu brechen und Tiere in Menschen und wieder zurück zu verwandeln. Und jedesmal, wenn es ein Gewitter gab – oh, Gewitter liebten sie so sehr! –, pflegte sie ganz hoch oben wie wild zwischen den Wolken zu reiten, und man konnte ihr Lachen meilenweit im Umkreis hören.«

Wieder hielt er inne.

»Weiter!« befahl Granny.

»Sie und ihr Hund lebten zusammen in einer Höhle ...«

»In einem Tipi«, verbesserte Granny zerstreut.

»In einem Tipi«, sagte Nob, »in einem ganz kleinen Zelt mit einem Feuer in der Mitte, von dem der Rauch aufstieg und sich in den Himmel kräuselte. Und dort braute sie Zaubertränke und dunkle Säfte, und der Hund brachte ihr kleine Tiere, an denen sie ihre üblen Rezepte ausprobieren konnte. Und sie verwandelte Ratten in Schlangen und Schlangen in Wölfe und Wölfe in Hirsche und Hirsche in Menschen, in seltsame gottähnliche Menschen mit Geweihen, die den Wald und das Land durchstreiften; sie pflegte Umgang mit Kobolden und Werwölfen, und wenn es dunkel wurde, flog sie mit einem Schrei aus dem Tipi und verschwand im Mond. Dennoch wurde sie von den Bewohnern des Waldes geliebt und gefürchtet, und ihr Name stand für die Macht, die in der Nacht zuschlägt. So lebte sie viele, viele Jahre.«

Der Junge verstummte. Bisher hatte er es gut getroffen, aber er war noch jung und unerfahren.

»Und dann«, sagte er langsam, »begann der Wald – begann sich der Wald zu verändern. Er veränderte sich, verfiel, und alles, was in ihm war, begann zu sterben.«

»Nicht zu sterben«, widersprach Granny, und ihre Augen waren riesig und starr. »Nicht zu sterben. Nur sich zu wandeln.«

»Alles begann sich zu wandeln«, sagte Nob, er schwitzte jetzt und schloß die Augen, »und – und eines Tages merkte die Hexe, daß es ihr nicht mehr gelingen wollte, einen Wolf in eine Maus zu verwandeln, so sehr sie sich auch Mühe gab, und am nächsten Tag konnte sie nicht mehr im Donner fliegen, und danach, allmählich, nach langer, langer Zeit konnte sie sich nicht einmal mehr an den einfachsten Zauberspruch erinnern. Ihre Kräfte verließen sie, nicht auf einmal, sondern langsam, langsam, wie bei einem Bild, dessen Farben verblassen. Und schließlich ihr Hund – ihr Hund ...« Er stockte, zögerte.

»Ihr Hund schlief ein«, fuhr Granny freundlich und wie im Traum fort, »und wachte niemals wieder auf. Und sie wandte sich gegen den Wald, der sie verraten hatte ... und sie verfluchte den Wind ... und schließlich begab sie sich tief in die Erde hinein, und dort blieb sie, braute ihre Suppen und versuchte sich zu erinnern. Versuchte sich zu erinnern ...«

»Versuchte sich zu erinnern«, murmelte der Zwerg und wiegte den Kopf in den Händen. »Aber nichts mehr war so wie früher ... hinterher.«

»Nein«, sagte Needle, und auch er senkte den Kopf.

»Nichts«, murmelte Twelve, »nichts ...«

»Der Hund wachte niemals wieder auf«, sagte Granny mit gepreßter Stimme. »Er schlief einfach ein, ging fort und ließ sie ganz allein zurück.«

Lange herrschte Schweigen, nur das Knistern des Feuers war zu hören.

»Geht jetzt!« sagte Granny Weil plötzlich und

wandte sich ab. »Geht! Ich wollte ohnehin nicht, daß ihr kommt. Geht!«

Sie erhoben sich, nahmen ihre Mäntel und verabschiedeten sich flüsternd, aber die alte Hexe schwieg und saß nur da und starrte in die Flammen.

Sie eilten hinaus in den Gang und folgten ihm immer im Kreis herum, so lange, bis er sie schließlich hinaus ins Sonnenlicht entließ. Blinzelnd und sich die Augen reibend gingen sie den Hang hinunter und ließen Granny Weils Hügel hinter sich zurück.

VIER

Zu Anfang war nur Needle da, und er lebte allein im Wald. Als die anderen Elfen vor Jahren fortgingen, war er zurückgeblieben. Ihre Zauberkräfte und die der anderen Waldbewohner waren allmählich immer schwächer geworden, und die Elfen hatten das Vertrauen in den Wald verloren. Man hörte Geschichten von ihnen, von anderen Orten, sie schwebten langsam daher und wurden von den Raben oder den Bäumen an Needles Ohr getragen. Stout hatte sich ihm angeschlossen, nachdem der Zwerg mit seinem Volk über den Besitz eines gewissen Prickelbeerengestrüpps in Streit geraten war. Die meisten Zwerge waren im Wald geblieben, denn ihnen lag die Magie nicht im Blut; auch einige Kobolde und eine Handvoll Gnome, jene merkwürdigen Geschöpfe, die kleiner und häßlicher sind als Kobolde, in Höhlen in der Erde leben und sich von Fledermäusen ernähren, und eine Schar Wassernymphen; die anderen waren stromabwärts geschwommen und vom großen weißen Meer aufgenommen worden. Eine Zeitlang hielten sich Wesen aus anderen Gegenden im Wald auf und suchten alles ab: Zauberinnen und Zauberer, Elfen und Kobolde und gelegentlich auch eine oder zwei alte Hexen. Sie siedelten sich zwar nicht auf Dauer hier an, doch Jahre später kehrten ihre Namen und Abenteuer in Gestalt von Mären und Reimergeschichten wieder zurück. Die Wesen hingegen, die im Wald von App blieben, gerieten so gründlich in Vergessenheit wie Fallholz nach einem Sturm.

Eine von den Fremden, die den Wald durchwander-
ten, ließ ein kleines Mädchen mit braunen Augen, gol-
dener Haut und einem wissenden Lächeln zurück.
Eine Hexe hatte das Mädchen eines Abends zu Needle
gebracht und ihn angefleht, es doch zu behalten, bis
sie wiederkam. Es sei zu gefährlich, das Kind mitzunehmen, sagte sie. Wer wußte denn, wo ihre Suche sie
hinführen mochte? Needle schaute auf das Hexenbalg
hinunter, das so entschlossen in der Tür stand, einen
kleinen braunen Welpen neben sich, dann sah er Stout
an, und schließlich sagten sie ja. Sie würden das Kind
behalten, bis die Zauberin zurückkehrte. Sie nahmen
also die Kleine und ihren Hund Hopeless auf, gaben
ihnen zu essen und fanden sich mit den Kapriolen und
den schlechten Angewohnheiten des Mädchens ab.
Die Jahre vergingen, Twelve wuchs heran und wurde
kräftig, boshaft und raffiniert. Die Hexe kam niemals
wieder.

Nach dem Besuch bei Granny Weil behandelte Twelve
Nob mit mehr Respekt. Oftmals, wenn der Junge auf-
sah, ertappte er sie dabei, wie sie ihn ernst anstarrte,
und dann glühten ihre dunklen Augen riesig in ihrem
matten, bernsteinfarbenen Gesicht. Hopeless, ein
graues, wie geschmolzen aussehendes Häufchen mit
wilden Augen verfilzten Fransen, wich ihr nicht von
der Seite. Der alte Hund folgte ihr, watschelnd, leise
vor sich hinkeuchend, auf Schritt und Tritt.
    Einmal in der Woche schickte Needle die Raben auf
die Suche nach der Reimertruppe, aber jedesmal kamen sie unverrichteter Dinge zurück und wußten nur
ein paar saftige Geschichten über die Welt außerhalb
des Waldes und das Treiben der Menschen zu erzäh-

len. Und so schlüpfte der Wald aus seinem bunten Herbstkleid in das tote Braun und Weiß des Winters, und der Boden verschwand unter einer dicken Schicht aus scharlachroten Blättern.

»Nichts Neues!« schrien die Raben, wenn sie am Himmel vorbeischwebten und sich glänzend schwarz abzeichneten. »Nichts Neues!«

»Seid ihr sicher?« schrie der Elf und blinzelte in die tiefstehende Sonne. »Nirgendwo eine Spur von ihnen?«

»Keine Spur!« krächzten die Raben und drehten sich mit dem Wind. »Keine Spur! Bis nächste Woche!«

Ihr Anführer, der große schwarze Rabe Kay, hielt hin und wieder mitten im Flug inne, spreizte steif die Schwingen, ließ sich herabfallen und landete über dem Kopf des Elfs auf einem Ast. Dann warf er Needle von der Seite wilde Blicke zu und putzte sich während der Unterhaltung mit seiner Afterklaue liebevoll das Gefieder.

»Was gibt es Neues?« fragte der Elf jedesmal, und statt einer Antwort pflegte der Rabe nachdenklich die Augen zu schließen und sich über die Federn zu streichen.

»Da drüben brennt, brennt, brennt ein großes Feuer«, sagte er dann etwa mit seiner kratzigen Stimme und deutete mit seinem Fuß in irgendeine Richtung, oder er lächelte vor sich hin und krächzte: »Schwierigkeiten mit einem Dieb am Kreuzweg.« Aber dergleichen wollte Needle gar nicht hören, und das wußte der Rabe auch ganz genau. So spähte er grinsend auf den Elf hinab, der ungeduldig zu ihm aufschaute, hüpfte auf dem Ast herum, zuckte mit den Flügeln und gluckste vor sich hin.

»Ein Turnier wird abgehalten, ein großes Turnier«, sagte er dann wohl bissig, oder: »Nein, nein, da draußen scheint alles ruhig zu sein, alles ganz normal. nichts Besonderes.« Daraufhin seufzte der Elf und stapfte zurück zu seiner baufälligen Hütte, und der Vogel kreischte entzückt, hob die Schwingen, war innerhalb einer Sekunde in der Luft und zog an der Spitze seiner zerlumpten Truppen davon.

So verdorrten die langen Tage in den Winter hinein, und Needle setzte seine Besprechungen mit den Raben nicht mehr fort, denn wo die Leute des Jungen auch immer waren, vor dem Frühling würden sie nicht zurückkommen. Den Winter über schlugen die Reimer in der Stadt, in der sie sich gerade aufhielten, ihr Quartier auf und warteten dort den Schnee ab. Erst wenn die Lenzblümchen blühten, gingen sie wieder auf Wanderschaft.

So verging in der Hütte ein Tag um den anderen, bis eines Morgens vor der Tür ein großes Gekreisch, Gekrächz und Geflatter anhub.

»Needle!« schrillte eine heisere Stimme, die sich in der Luft auf und ab bewegte. »Needle! Komm heraus! Komm heraus!«

Der Elf sprang auf, hastete hinaus und wurde von einem ohrenbetäubenden Krächzen und Flügelschlagen empfangen. »Das reicht jetzt!« rief er und schlug auf die dunklen Gestalten ein, die ihn umkreisten. »Genug! Was ist los? Kay?«

»Kraack!« rief der große Vogel und verrenkte sich vor Aufregung fast die Zunge. »Der Mester Lindwurm! Der Fluß ist zugefroren, und der Lindwurm steckt mit fest! Wir wollten ihn überreden, rechtzeitig wegzugehen, aber er ist verrückt, verrückt, so verrückt wie eine Elster. Er will einfach nicht auf uns hören!«

»Der Lindwurm?« wiederholte Needle verständnislos, und als Antwort sperrten der schwarze Vogel und alle seine Gefährten die Schnäbel auf und krächzten.

»*Ja!*« rief Kay, dann wendete er mit einem eleganten Flügelschwung und segelte durch die Luft davon. »Ja!« schrie er noch einmal, seine Stimme wurde nur ganz schwach vom Wind herangetragen. »Der Lindwurm! Wir haben getan, was wir konnten!«

Der Elf ging wieder hinein. »Stout«, sagte er, »der Mester Lindwurm hat es wieder einmal geschafft, sich einfrieren zu lassen. Die Raben haben ihn im Fluß gesehen.«

Stout schüttelte den Kopf. »Nicht schon wieder!«

»Kommt«, sagte Needle und nahm einen Stapel Decken auf den Arm, »wir müssen sehen, was wir tun können. Ich hätte die Raben bitten sollen, es den anderen zu sagen.«

»Hätten sie denn auf dich gehört?« fragte Stout und ging zur Tür, um seinen Stab zu holen. »Hätten sie uns geholfen?«

»Beim letzten Mal haben sie es getan?« sagte Twelve.

»Das hat gar nichts zu bedeuten«, polterte der Zwerg. »Heute ist alles anders. Seither ist ein Jahr vergangen.«

»Aber der Lindwurm hat sich nicht verändert«, sagte Twelve.

»Er ist nur kleiner geworden«, meinte Needle und warf einen Blick auf Nob.

»Der Junge soll mitkommen«, sagte er leise zu Stout. »Wir werden seine Hilfe brauchen.«

Als sie aufbrachen, mußten sie sich durch den Schnee wühlen. Hopeless blieb neben dem Feuer zurück; er sah Grannys totem Hund ein wenig ähnlich, fand der Junge, als er in eine von Needles Winterjacken schlüpfte und mit den anderen vom Haus weglief.

Sie stapften stundenlang, wie es schien, zwischen den schwarzen Baumleichen hindurch, die steif und starr dastanden, die Wurzeln im Schnee vergraben. Es war Winter, der Wald schlief und schwelgte in eisigen Träumen. Wenn die Hexe an den Bäumen vorüberging, berührte sie noch immer die rauhe Rinde und murmelte ihnen etwas zu, aber sie bekam keine Antwort. Die Bäume waren zu träge, der Saft rann zu langsam, als daß sie sich ihretwegen hätten aufraffen können.

Endlich erreichten die vier einen eisblauen Fluß und folgten ihm eine Weile stolpernd durch die Schneewehen am Ufer entlang. Nob war zurückgeblieben, er hinkte stark und stöhnte leise vor sich hin, als sie schließlich an eine Biegung kamen, wo das Flußbett sich verbreiterte und das Wasser einen kleinen Tümpel bildete.

»Da ist er«, sagte Needle, und sie hoben die Köpfe und starrten über die Eisfläche.

In der Mitte des Tümpels erhob sich ein großer Felsen eindrucksvoll aus dem Wasser: ein Felsen, auf dem wie Spitzenbesätze oder wie Gitter viele Terrassenreihen übereinanderlagen, so daß er aussah wie eine alte Burg oder ein Miniaturberg. Er war eisengrau, und auf der Spitze saß flott eine schräge Schneemütze. In dicken Schlingen um seinen Fuß gewickelt, lag auf einer winzigen Insel voll Kies und Geröll eine Schlange, grau wie Stein, und auch sie trug eine Schneemütze. Der stumpfe Kopf reckte sich in die Höhe und schwankte mit glitzernden Augen suchend herum. Am Unterkiefer hing ein Eiszapfen von der Größe eines Reißzahns. Die vier drängten sich am Rand des erstarrten Wassers aneinander. Nob betrachtete die Schlange, die sie offenbar gar nicht sah.

»Na, da ist er ja«, murmelte der Zwerg und wechselte seine Decken von einem Arm auf den anderen. »Da ist er. Und was nun?«

»Versuchen wir es doch erst einmal mit Freundlichkeit«, sagte Needle. »Vielleicht können wir mit ihm reden.«

»Das wird nichts nutzen«, meinte Stout, aber er trat beiseite, damit Needle an den Rand des Sees gehen konnte.

»Sei gegrüßt, Mester Lindwurm!« rief Needle. »Sei gegrüßt! Ich bin erfreut über unsere Begegnung!«

Der Kopf der Schlange schoß etwa zwei Fuß in die Höhe, die Augen starrten über das Wasser in ihre Richtung, ohne etwas zu sehen. »Seid gegrüßt!« rief sie, und die Stimme klang dünn und aufgeregt durch die eisige Luft. »Seid gegrüßt! Wer seid ihr? Wer ist da?«

»Needle, Stout und Twelve!« rief der Elf. »Wir sind gekommen, um nachzusehen, wie es dir geht, Mester.«

Der stumpfe Kopf schwebte in der Luft, die flache gespaltene Zunge zuckte hin und her. »Wie es mir geht?« rief das Wesen fröhlich. »Wie es mir geht? Mir geht es gut, vielen Dank! Sehr gut! Und euch?«

»Danke, ebenfalls gut!« schrie Needle.

Neben ihm stampfte Stout mit den Füßen im Schnee

herum und brummte: »Los jetzt, komm endlich zur Sache!«

»Gut, gut!« antwortete die Schlange mit ihrer zarten rauhen Stimme. Die Zunge flatterte vergnügt. »Gut! Vielen Dank für euren Besuch! Wir sehen uns dann im nächsten Jahr!«

»Nein«, schrie Needle, »nein!« Aber es war zu spät: Die Schlange hatte sich abgewandt und war, eine glänzende Schlinge über der anderen, auf die andere Seite des Felsens geglitten. Dort redete sie rasend schnell auf jemanden ein, der gar nicht da war.

Needle drehte sich seufzend um. Stout, der neben ihm stand, fuhr ihn an: »Das war ausgezeichnet. Wirklich großartig. Und was tun wir jetzt?«

»Er wird den Tümpel nicht verlassen«, erklärte Needle dem Jungen. »Er bringt schon seit Jahren nicht mehr genügend Vernunft auf, um sich ein Plätzchen zu suchen, wo es warm ist, und dort bis zum Frühling zu überwintern.«

»Wir müssen etwas unternehmen«, sagte Stout. »Sonst klebt er noch an diesem vereisten Felsen fest.«

Needle reichte seinen Stapel Decken dem Jungen, und Stout gab den seinen an Twelve weiter.

»Folgt uns«, sagte der Elf, »sprecht nicht, haltet nur die Decken bereit und kommt, wenn wir es euch sagen. Und seid vorsichtig – das Eis ist trügerisch.«

Sie überquerten mit vorsichtigen Schritten wie Blinde den zugefrorenen Tümpel; allen voran kroch Needle wie ein riesiges Insekt über das Wasser; dann kam Stout, der mit seinem Wanderstab das Eis nach schwachen Stellen abklopfte; den Schluß bildeten Nob und Twelve, die Arme mit Decken beladen.

Als sie auf den Felsen zugingen, erschien der

Schlangenkopf wieder, ein wenig schräggelegt, lauschend, und das Wesen ringelte sich schnell nach der anderen Seite und sah ihnen entgegen. Aus der Nähe sah Nob, daß die Augen rötlich-grün und winzig klein waren. Die Schlange blinzelte kurzsichtig in die Richtung, aus der die Schritte kamen. Die kleinen trüben Augen suchten verwirrt das Eis ab.

Als die vier ganz nahe waren, zögerte sie, den Kopf starr in die Höhe gestreckt, dann zog sie ihn schnell zwischen die Körperwindungen zurück, drückte sich gegen den Felsen und zischte mit tiefer Stimme: »Halt! *Halt,* sage ich! Wer ist da?«

Needle blieb ein paar Schritte entfernt stehen. »Wir sind es, Lindwurm«, sagte er. »Nur wir. Needle, Stout und Twelve. Deine Freunde.«

Die Schlange funkelte sie an. Die Eismütze rutschte ihr langsam über das Gesicht. »Was? Freunde?« fragte sie heiser. »Ich habe keine Freunde.« Der mit eisengrauen Schuppen bedeckte Körper rieb sich am Stein. Sie öffnete den glühendroten Mund und zischte. Aus der Nähe sah der Junge, daß die dicken Körperschlingen mit Eiströpfchen bedeckt waren, mit kleinen Eiszapfen, die an den Flanken hafteten und silbrig klirrten, wenn die Schlange sich bewegte. Der Schwanz war um einen Stein gelegt, die Spitze hilflos im Eis festgefroren.

»Also hör mal, Mester Lindwurm«, sagte Needle gerade, »das ist doch wohl nicht dein Ernst, oder? Natürlich hast du Freunde. Wir sind deine Freunde. Wir sind gekommen, um dir zu helfen.«

»Helfen?« fragte die Schlange leise und giftig. »*Helfen?* Der Mester Lindwurm braucht keine Hilfe. Der Mester Lindwurm braucht nur sein Maul aufzureißen und einmal auszuatmen, dann wird sein feuriger Hauch die ganze Welt verwüsten. Der Mester Lindwurm braucht nur seine riesige Zunge auszustrecken, um ganze Dörfer und Berge ins Meer zu fegen. Der Mester Lindwurm braucht nur seine gewaltigen Schlingen um das größte Schiff zu legen, und es zerplatzt wie ein Ei.« Die Schlange fauchte. »Nun sag mir eines, Sterblicher: Inwiefern sollte der Mester Lindwurm *Hilfe* brauchen?«

Needle und Stout traten von einem Fuß auf den anderen und blickten sich an.

Die Schlange betrachtete sie blinzelnd, ihre Stimme klang plötzlich leise und mutlos. »Der Mester ist der erste aller großen Lindwürmer«, sagte sie. »Habt ihr gehört? Der erste, oberste und gewaltigste aller Lindwürmer. Und ich – *ich* bin der Mester Lindwurm.«

»Natürlich«, sagte Needle.

»Ich war der erste«, schrie die Schlange, und ihr Kopf bäumte sich auf. »Der erste! Hier ist mein Berg, und hier ist das Meer! Sag mir, Sterblicher, wie bist du hergekommen? Wie hast du mich gefunden? Wo ist dein Schiff?«

Needle seufzte. »Ich habe mein Schiff dort drüben gelassen«, sagte er mit einer Handbewegung, und der Blick der Schlange folgte seinem Finger und suchte eifrig das andere Ufer ab. »Wir sind gekommen, um den großen Mester aufzusuchen, den ersten aller Lindwürmer. Und wir haben dich gefunden, in diesem gewaltigen Ozean, auf diesem riesigen Felsen.«

»*Aaaaaaaaaahhhhhhhhhh*«, seufzte die Schlange. »*Aaaaaaaaaahhhhhhhhhh*.« Der Kopf sank ihr hinab, die Augen blickten Needle liebevoll an. »Ssssso isssst esssss. Diessser riesssige Felsssssen. Ich versssstehe.«

»Mester«, sagte Needle, »obwohl wir angesichts deiner Erhabenheit vor Ehrfurcht wie gelähmt sind, muß ich dir sagen, daß wir gekommen sind, um dich mitzunehmen. Jemand wie du ist im Ozean nicht länger sicher.«

»Was?« schrie die Schlange, und ihre Nase schoß in die Höhe. »Was? Ich bin im Ozean nicht länger willkommen? Du lügst! Du lügst!« Sie ließ sich weiter hinabsinken, starrte auf dem blauen Tümpel herum und stieß den Atem zischend zwischen den Zähnen hervor. Der Eiszapfen am Kinn bebte. »Das ist nicht wahr!«

»Mester«, sagte Needle und trat vorsichtshalber einen Schritt zurück, »ich bedauere, dir sagen zu müssen, daß es wahr ist. Wir haben die weite Reise auf unserem Schiff unternommen, um dich zu suchen und dir folgendes mitzuteilen: Du mußt deinen Berg jetzt verlassen und mit uns kommen. Wir wollen dich in Sicherheit bringen, bis sich der Ozean wieder beruhigt hat.«

»Neiiiiiiiiiin«, sagte die Schlange in drohendem Ton. »Nnneiiiiiin. Niemals. Niemals werde ich das Meer verlassen.«

»Mester«, mahnte der Elf, »du mußt mitkommen. Du mußt es tun. Wenn du hier bleibst, wirst du sterben!«

»Dann laß mich sterben!« schrie die Schlange wild, bäumte sich in der frostigen Luft gewaltig auf und stieß in Panik mit dem Kopf nach allen Seiten. »Dann laß mich sterben, sage ich! Ich möchte lieber hier auf meinem Berg sterben als lebendig weggetragen zu werden wie ein Stück Holz!«

»Na schön!« brauste der Zwerg auf. »Wie du willst!

Bleib hier, du elendes Ding – bleib hier auf deinem Felsblock und in deinem kleinen Tümpel! Meinst du, uns macht das etwas aus? Wir gehen einfach weg und lassen dich erfrieren!«

Needle packte Stout am Arm. Die Schlange drehte den Kopf in Stouts Richtung und musterte ihn mit verschwommenem Blick. »*Tümpel?*« hörten sie sie murmeln.

»Ja, Tümpel!« schrie der Zwerg. »Tümpel, armseliger Felsblock, und außerdem ist es Winter, du Narr! Das Wasser ist gefroren, und dir erginge es bald ebenso, wenn wir nicht wären!«

»*Winter?*« fragte die Schlange verständnislos sich selbst.

»*Winter*, und mir frieren allmählich die Füße ab!« klagte der Zwerg und stampfte im Kreis um den Felsen herum.

Needle winkte Nob und Twelve näher heran. »Mester«, sagte er, »wir haben keine Zeit zu verlieren. Stout hat recht. Dies hier ist nicht das Meer, und du bist auch auf keinem Berg; es ist ein Felsblock in einem Tümpel, und es wird höchste Zeit, daß du mit uns kommst, und zwar ohne das übliche Getue. Wir bringen dich an einen Ort, wo es warm und trocken ist, und dann wirst du dich auch gleich besser fühlen.«

Die Schlange sah ihn unglücklich an. »Wie kannst du es wagen?« rief sie und wölbte sich in Form eines großen Hirtenstabes gen Himmel. »Wie kannst du es wagen? Lebend werdet ihr mich nie bekommen«, fügte sie hinzu, lehnte sich zurück und beobachtete sie.

Hinter Needles Rücken bückte sich die Hexe und legte ihre Decken auf den Boden. »Mester Lindwurm«, sagte sie näher tretend, »die anderen wissen nicht, was sie reden.«

Die Schlange wandte ihr den Kopf zu. »Nein«, antwortete sie, »sie sind alle Narren.«

»Narren«, pflichtete ihm Twelve bei, und Stout wandte ihnen den Rücken zu und murmelte mißmutig vor sich hin.

»Aber, großer Mester«, fuhr die Hexe fort, »nicht alles, was sie sagen, ist unwahr. Auch aus einem Narrenmund kommen manchmal prophetische Worte.«

»Richtig«, sagte die Schlange. »Das ist richtig.«

»Denn dir ist in deiner Weisheit doch sicher nicht entgangen«, sagte Twelve, »daß sich die Meere in letzter Zeit sehr wild gebärden.«

Die Schlange hob den Kopf und blickte sich um. »Ja«, sagte sie, »ja, das ist mir aufgefallen. Ich fand, daß sie in letzter Zeit sehr wild und kalt waren.«

»Wild, kalt und tückisch«, säuselte die Hexe. »Tükkisch.«

Die Schlange wandte ihr die verrückten Augen zu. »Der Mester Lindwurm«, antwortete sie hoheitsvoll, »kennt keine Furcht vor der Tücke der Meere. Für mich birgt der Ozean keine Gefahren.«

»Nein«, stimmte das Hexenbalg zu, »natürlich nicht, denn der Mester aller Lindwürmer ist groß und gewaltig und besiegt auch die rauheste See. Aber es gibt andere deines Stammes, denen dieses Glück nicht beschieden ist.«

»Andere?«

»Die anderen Lindwürmer rufen nach dir, Mester. Sie haben mich zu dir geschickt, damit ich dir sage, daß man dich braucht. Sie haben mich angefleht, dich aufzusuchen und um Hilfe zu bitten, denn die Meere sind stürmisch und kalt, und die Lindwürmer werden gegen die Felsen geschmettert. Sie alle, bis hinunter zu den kleinsten Meeresraupen, bitten dich inständig, ihnen in dieser Zeit der Not mit deiner Kraft zu Hilfe zu kommen. Hörst du mich, Mester?«

Die gespaltene Zunge schnellte hin und her, der dicke Körper rieb sich am Stein. »Ja«, sagte die Schlange und schloß die glühenden Augen, »ich höre. Ich höre.«

»Dann merke wohl auf, Mester, denn das Leben deiner Stammesgenossen hängt davon ab. Sie haben mich und meine Gefährten – diese Narren hier ...«

»Genug!« fauchte der Zwerg.

»... zu dir geschickt, damit ich dich zu ihnen zurückbringe«, sprach Twelve hastig weiter. »Willst du mit uns kommen? Willst du mitkommen, um deinen Stamm zu retten?«

Die Schlange blinzelte sie an; dann bäumte sie sich auf und suchte mit schwachen Augen den Tümpel und den weißen Himmel ab. »Ob ich gehe?« schnarrte sie. »Ob ich gehe? Ja. Ich werde dorthin gehen, wo man mich braucht. Mein Stamm ruft nach mir.«

»Dein Stamm ruft nach dir«, wiederholte Twelve, und Nob und der Elf, die den Stapel Decken vom Eis aufgehoben hatten, traten näher.

»Sie rufen nach mir«, flüsterte die Schlange wehmütig. »Lange, lange ist es her ...«

»Sehr lange«, sagte Twelve.

»Aber jetzt braucht man mich!« schrie die Schlange und begann sich hastig von dem Felsen abzuwickeln. »Ich werde gebraucht!« Sie schoß, mit dem Kopf dem Körper folgend, um den Stein herum, bis sie schließlich in ihrer ganzen Länge auf dem Eis lag und sich krümmte. »Ja«, sagte sie, »bringt mich zu ihnen!«

»*Jetzt!*« schrie Needle, und er und Nob stürzten nach vorn.

Die beiden anderen halfen ihnen, den Körper des Lindwurms in die Decken zu hüllen. Als sie damit fertig waren, trat Needle zurück und betrachtete ihr Werk. Die Schlange war fest verpackt, nur der Kopf und der Schwanz schauten noch heraus. Der Kopf redete noch immer mit sich selbst. »Endlich«, sagte er mit traumverlorener Stimme, »endlich brauchen sie mich. So lange, so lange ist es her. Ich bin so froh.«

»Stout«, sagte der Elf, »wir müssen wegen des Schwanzes etwas unternehmen. Kannst du ringsum das Eis aufhacken?«

»Ich glaube schon«, sagte der Zwerg, trat vor und schlug mit seinem Wanderstab auf den Tümpel ein. Als der Schwanz frei war, stellten sie sich in Abständen hintereinander neben dem Körper der Schlange auf und hievten ihn sich unter großem Geschnauf und Geächz auf die Schultern. In voller Länge maß die Schlange vielleicht fünfzehn Fuß, der Körper hatte einen Umfang von vier Handlängen, und er war schwer.

Langsam und vorsichtig bewegten sie sich über den Tümpel. Als sie die Schneewehen am Ufer erreichten, blieb Needle, der ganz vorn ging, stehen und rief zurück: »Alles in Ordnung? Bei jedem von euch?«

»Ja.«

»Ja.«

»Ja.« Und so machten sie sich auf den Weg durch die Wälder, während die Schlange weiter in rasendem Tempo unsinniges Zeug vor sich hin plapperte.

Das Tier war so lang und schwer, daß sie häufig Rastpausen einlegen mußten. Als sie schließlich die Hütte erreichten, waren sie erschöpft und durchgefroren. Der einzige, dem die Reise offenbar nichts ausgemacht hatte, war der Lindwurm, der einen Strom fröhlicher Bemerkungen vom Stapel ließ, als sie den massigen Körper durch die Tür zwängten.

»Rauhe See hier«, sagte er nachsichtig, als er mit einem dumpfen Schlag auf den Boden niedergelassen wurde, und Hopeless, der zur Begrüßung herangesprungen war, wich hastig mit gesträubtem Fell zurück. »Hohe Wellen. Lange Reise. Wo sind die anderen?«

»Ach, halt doch den Mund!« sagte der Zwerg müde, und alle vier ließen sich auf die Stühle fallen. Hopeless stand mit offenem Maul da und starrte den Wurm an. Das Feuer war heruntergebrannt, Needle stand auf, schlurfte hinüber und stocherte darin herum. Der Lindwurm lag in voller Länge auf dem Boden und zischte mit rhythmisch zuckender Zunge vor sich hin.

»Ich komme«, sagte er überglücklich. »Bald bin ich da.«

»Was wollen wir mit ihm anfangen?« fragte der Zwerg.

»Wir müssen ihn eine Weile hierbehalten«, antwortete Needle. »Wir haben keine andere Wahl. Wir müssen ihn auftauen lassen und hierbehalten. Sonst versucht er nur, wieder zum Tümpel zurückzugelangen.«

»Allmählich werden wir ein richtiges Waisenhaus«, brummte Stout. Dann hielt er verlegen inne, weil alle Blicke sich auf Nob richteten. »Na ja, schon gut. Vielleicht sollten wir ihn näher ans Feuer bringen.«

»Ja«, sagte Needle, aber niemand rührte sich. Endlich fand der Hund die Stimme wieder, senkte den Kopf und knurrte.

Die Schlange blinzelte, ihr drittes Augenlid glitt herab. »Was ist das?« fragte sie zerstreut. »Ein Sturm? Höre ich einen Sturm nahen?«

Hopeless knurrte wieder, dann bellte er, und die Schlange verrenkte den Körper, um zur Decke aufzuschauen. »Dunkler Himmel«, murmelte sie, »schlechtes Wetter. Zweifellos ein Sturm im Anzug. Da oben sind Gewitterwolken.«

»Hat er denn keine Ahnung, wo er ist?« fragte Nob Twelve leise.

Das Mädchen schüttelte den Kopf. »Das weiß er nie.«

»Sturm im Anzug«, sagte die Schlange jetzt eindringlicher und funkelte sie an. »Sturm im Anzug! Muß gehen – muß die anderen warnen.« Sie zappelte in den Decken herum, aber als sie merkte, daß sie sich nicht befreien konnte, murmelte sie: »Bin bald da«, und regte sich nicht mehr.

Hopeless kam zu Twelve, setzte sich ihr vor die Füße und legte ihr den Kopf in den Schoß. Die anderen blieben, wo sie waren; zusammengesunken vor Müdigkeit ließen sie die Wärme in sich eindringen. Endlich hob die Schlange den Kopf vom Boden, starrte ins Feuer und nuschelte: »Warm hier drin ...«

Stout hievte sich ächzend auf die Beine.

»Wir müssen etwas unternehmen«, murrte er. Die anderen kamen herüber, um ihm zu helfen, und sie zerrten gemeinsam die Schlange auf dem Boden hin und her, bis sie vor der Feuerstelle zusammengerollt war. Danach wickelten sie die Decken ab und schichteten sie zu einem unordentlichen Bett aufeinander. Während der ganzen Prozedur sprach der Lindwurm kein Wort, sondern ließ sich das Schieben und Ziehen mit einem geistesabwesenden Ausdruck in den rotgrünen Augen ruhig gefallen.

»Hoffentlich kommt er nicht auf dumme Gedanken und versucht in die Flammen zu kriechen«, sagte Needle.

Sie hatten für den Weg zum Fluß und zurück den ganzen Tag gebraucht. Jetzt brach die Dunkelheit herein. Needle drängte sich zwischen den Lindwurm und das Feuer und bereitete das Abendessen. Nob deckte den Tisch, und Twelve stellte Hopeless eine Schale mit saftigen Resten hin, eine besondere Mahlzeit, um ihn zu trösten, aber der Hund wollte ihr nicht von der Seite weichen, und sie mußte sich neben die Schüssel setzen, ihm den Kopf streicheln und mit ihm sprechen. Beim Fressen warf er immer wieder verstohlen besorgte Blicke auf die Schlange, die jetzt in königlicher Haltung auf ihrem Deckenstapel schlief, während der Flammenschein den Schuppenkörper in ein merkwürdiges Licht tauchte.

»Er sieht mich ganz vorwurfsvoll an«, flüsterte Twelve dem Jungen zu. »Er ist mir böse, weil wir den Lindwurm mitgebracht haben.«

Nob blickte hinunter auf die räudige kleine Gestalt, die sich ihr an die Knie kuschelte. »Vielleicht gewöhnt er sich daran«, sagte er. »Habt ihr den Lindwurm noch nie mit hergebracht?«

»O nein! Wir haben ihn immer in eine nahegelegene Höhle getragen, dort ein Feuer angezündet und sind bei ihm geblieben, bis er aufgetaut war. Aber der Lindwurm wird jedes Jahr kleiner und verrückter, und diesmal befürchtete Needle, daß er nicht allein in der Höhle bleiben werde.«

»Er wird kleiner?«

»O ja! Ich dachte, Needle habe dir das gesagt. Früher war er einmal eine Seeschlange. Er war wirklich der größte Lindwurm, der Vater von allen. Aber dann begann er zu schrumpfen, sein Geist verwirrte sich, und schließlich hat ihn das Meer einfach von seinem Felsen gespült. Als er den Fluß erreichte, schwamm er stromaufwärts, bis er diesen Felsen fand. Seither lebt er dort.«

»Und – und er weiß nicht, was geschehen ist?«

Twelve schüttelte den Kopf. »Nein«, sagte sie, und ihre Hand streichelte weiter ruhig den Kopf des Hundes.

Nob blickte zu dem Lindwurm hinüber. Das Eis auf den Schuppen war geschmolzen, und auf den Decken war ein großer dunkler Fleck entstanden. Die Schlange hatte sich säuberlich zusammengerollt, Kopf und Schwanz lagen dicht beieinander, der Körper war eine Masse aus glänzenden Windungen. Sie blickte schläfrig blinzelnd ins Feuer, davon abgesehen regte sie sich nicht.

»Essenszeit«, sagte Needle, und alle aßen schweigend.

Nach dem Mahl ging jeder seiner abendlichen Beschäftigung nach. In der Ecke spielte Twelve mit Hopeless; Needle und Stout lasen, Stout rauchte dabei seine Pfeife. Nob saß am Feuer und hatte das Kinn auf die Faust gestützt.

So saß er oft da. Das brennende Holz drehte und ringelte sich und ließ phantastische Formen entstehen: Burgen, schadenfroh grinsende Gesichter, Dämonenfratzen und seltsame Landschaften, Türme, Täler und Einhörner. Manchmal dachte der Junge an seine Tante Lace und ihren Haufen Kinder, ihre Nestlinge, wie sie sie nannte. Nob fragte sich, ob sie ihn wohl vermißte. Er glaubte es nicht.

Das Feuer bildete einen Wirbel, eine Bergspitze, die in ein weites Tal abfiel, und dort marschierte mit wehenden Fahnen im brennenden Wind ein Heer. Nob sah zu, die Augen halb geschlossen, eingelullt von der Wärme. Und so stieß er einen erschrockenen Schrei aus, als er spürte, wie ihm etwas Glattes übers Knie kroch.

Dicht vor seinem Gesicht, nur Zentimeter davon entfernt, schwebte träge der Kopf des Lindwurms in der Luft.

Hinter dem Jungen schauten Stout und der Elf von ihren Büchern auf, und der Zwerg hüstelte und klopfte mit der Pfeife gegen den Stuhl.

Die Schlange beugte sich vor. »Mein Meer«, sagte sie vertraulich, »war sehr groß und dunkel.«

Nob wußte nicht, was er tun sollte. Er starrte das Wesen entsetzt an, als es sich mit rotfunkelnden Augen im schwachen Licht der Flammen noch näher an ihn heranschob.

Die schmale flache Zunge zuckte neugierig heraus. »Dunkel«, sagte der Lindwurm, »und groß. Riesig groß. Es war mein Meer.«

»Ja«, sagte der Junge endlich heraus.

»Ja«, seufzte die Schlange. »Ja. Und mein Berg ... auch der war groß und schroff und hatte kleine Zacken. An die Zacken erinnere ich mich genau.«

Der Schlangenkopf war jetzt ganz dicht vor Nobs Gesicht. Der Junge sah, daß der Eiszapfen am Kinn geschmolzen war und nur noch ein paar steif nach hinten gebogene lange Haare aus dem Kiefer hervorragten.

»Im Sommer«, flüsterte die Schlange mit trockener rauher Stimme, »oh, im Sommer, da versammelten sich alle Lindwürmer um meinen Berg ... verstehst du, um *meinen* Berg, denn ich war der Mester Lindwurm. Der Mester. Und dort spielten sie und sangen mir vor, und das Meer kräuselte sich unter ihren Leibern. Sie sangen mir vor ... die wunderschönen alten Lieder. Und wenn ich sie hörte, kletterte ich auf meinen Berg; ganz oben stellte ich mich auf und sang, bis mein Lied die Sterne erreichte ... die Sterne.«

»Und dann«, sagte die Schlange, verzweifelt ihren Erinnerungen nachhängend, »und dann, im Winter, wurde der Ozean kalt und rauh, die Wellen trugen weiße Kappen; und ich begab mich zur höchsten Spitze meines Berges, legte mich im Schutz der Bäume darum herum und schlief, bis die Lieder der anderen mich weckten ... mich weckten. Ich schlief«, fügte sie entschieden hinzu, »traumlos.«

Die Schlange verstummte und hob steif den Kopf, als lausche sie auf etwas.

»Du ssssiehssst alssso«, zischte sie, »du sssiehssst, ich werde mir meinen Berg niemals wegnehmen lassen. Nnniemalssss. Denn wenn ich das täte ... wenn ich wegginge ... weißt du, wenn ich wegginge, würde ich sterben. Ich würde sterben«, wiederholte das Reptil; dann wandte es sich den Flammen zu, blickte einen Augenblick lang dumpf hinein und ließ den Kopf dann in Nobs Schoß sinken.

»Warm hier drin ...«, murmelte es.

Nob hob langsam eine Hand und berührte damit

den Kopf. Jetzt erst fiel ihm auf, daß der Rücken des Lindwurms mit winzigen Höckern bedeckt war, so als habe sich dort einst ein großer Knochengrat entlanggezogen. Die Schuppen waren gefleckt, als hafteten immer noch Flechten und winzige Meerestiere daran. Nob streichelte sanft den stumpfen Kopf.

»*Aaaaaaaaaahhhhhhhhhh*«, seufzte die Schlange und schnurrte und räkelte sich wie eine Katze.

So ruhten sie gemeinsam in der Wärme der Flammen, während Stout und Needle hinter ihnen steif auf ihren Stühlen saßen, die geöffneten Bücher vergessen auf dem Schoß.

FÜNF

In diesem Jahr war der Winter hart. Er dauerte lange, die Kälte war groß, und die Waldbewohner versteckten sich viele Monate lang in ihren Höhlen und Bauen. Die Wassernymphen schliefen ruhig auf dem Grund des Flusses. Granny Weil saß in der innersten Kammer ihres Hügels, rieb sich die Hände über dem Feuer, kochte die verschiedensten Suppen und redete unaufhörlich mit ihrem schlafenden Hund. Anderswo im Wald kuschelten sich die Kobolde und Gnome in ihre schlampigen, mit Blättern ausgekleideten Baue und ruhten sich aus. Die Zwerge saßen in ihren Höhlen in tiefer, nur von einem kleinen Feuer erhellter Dunkelheit und rauchten ihre Pfeifen. Und in der baufälligen Hütte lasen, kochten und stritten Needle, Stout, Twelve und Nob und wagten sich nur hinaus, um im Bach Eis zu brechen und es zu schmelzen, wenn sie Trinkwasser brauchten, oder um im Boden nach eßbaren Wurzeln zu scharren. Hopeless lag am Feuer und fröstelte; er wurde langsam alt. Twelve saß die meiste Zeit bei ihm, redete mit ihm wie Granny mit ihrem Hund, deckte ihn zu und streichelte ihm das schäbige Fell. Und Nob saß oft beim Mester Lindwurm, der, nachdem er aufgetaut war, beschlossen hatte, sich in sauberen Windungen um die Tischbeine herum häuslich niederzulassen. Dadurch wurde es schwieriger, sich zum Essen an den Tisch zu setzen, aber der Lindwurm weigerte sich rundheraus, seinen Platz aufzugeben. Am zweiten Tag hatte Stout seinen Stuhl über den Körper des Reptils gestellt, und die anderen hatten es ihm nachgetan; wenn sie nun also beim Essen saßen, lag die Schlange friedlich zwischen den Stuhlbeinen. Wenn jemand nicht mehr daran dachte und seinen Stuhl nach hinten rücken wollte, protestierte sie lautstark.

Zwischen dem Jungen und dem Lindwurm hatte sich eine merkwürdige Zuneigung entwickelt. Der Lindwurm ließ sich immer noch nicht von der Überzeugung abbringen, er befinde sich im Meer und habe sich um seinen großen Felsen geschlungen, aber Nob war der einzige in der Hütte, der auf ihn einging und sich stundenlang die Erinnerungen und Wahnvorstellungen seines armen einsamen Geistes anhörte. Der Junge pflegte sich neben die Schlange zu setzen und sich den Kopf aufs Knie zu legen; von dort starrte sie ihn geistesabwesend an und schnurrte, wenn der Junge die Höcker auf dem Rücken rieb. Manchmal zischte sie, als habe sich in ihrem Inneren Kraft angestaut, und grauer Dampf entwich aus den Nüstern. Dann öffnete sie das rote Maul und erzählte langatmige Geschichten aus ihrem früheren Leben. Ihr Gedächtnis war so lang wie ihr Körper, und wenn sie wehmütig von Meeresgräsern an der Küste und von der Form der Korallen unter dem Mond erzählte, spürte Nob ihre Sehnsucht. Manchmal sprach auch Nob leise vom Haus seiner Tante, von der Schar der Kinder und dem einen einsamen Jungen unter ihnen. Die Schlange stützte sich dann auf sein Knie, hörte zu und zischte dabei vor sich hin. Ihr Blick war weich und verschwommen, und Nob wußte nie genau, wieviel sie verstand. Aber für ihn war es doch tröstlich, jemanden zu haben, mit dem er sprechen konnte.

So gingen die Wintermonate dahin, und der Schnee

schlief draußen vor der Tür. Eines Tages kam das einzige Geschöpf im ganzen Wald, das im Winter unterwegs war, an ihre Hütte.

Twelve ging an die Tür und riß sie weit auf. »Hallo, Rasp!« sagte sie, faßte ihn beim Arm und führte ihn herein.

»Willkommen!« sagte Stout. »Willkommen!« rief auch Needle, und sogar Hopeless verließ seinen Platz am Feuer, schlurfte herbei und wedelte mit dem Schwanz. Der Lindwurm verdrehte den Körper, um besser sehen zu können, und Nob erhob sich.

»Vielen Dank euch allen«, sagte der Fremde. Er schüttelte Needle und Stout herzlich die Hand, dann drehte er sich um und legte seinen Umhang ab.

»Komm her!« sagte Twelve und zog ihn zum Tisch. »Setz dich, setz dich, so ist es recht. Was möchtest du essen?«

»Was ihr habt«, sagte er.

Sie ging zum Kochtopf und servierte ihm eine Schale Hafergrütze mit einer dicken Scheibe Brot, Butter und Käse und eine Tasse dampfenden schwarzen Tee. Sie stellte alles vor ihn hin, setzte sich an seine Seite und stützte die spitzen Ellbogen erwartungsvoll auf den Tisch. »Was gibt es Neues, Rasp? Was gibt es Neues?«

Der Fremde lächelte ihr und den anderen zu. Seine Augen ruhten kurz auf Nob. Rasp war weder alt noch jung, er hatte ein wettergegerbtes freundliches Gesicht, fröhlich und voller Falten, die Augen leuchteten überraschend blau, und der Haarschopf war weich und braun wie das Fell einer Feldmaus. Gekleidet war er in Lumpen. Seine Tunika, seine Jacke, sein Umhang, seine Hosen – alles war abgetragen, zerrissen, mit Flusen, Schlamm und kleinen Zweigen bedeckt. Über die Wange zog sich ein feuchter Schmutzstreifen. Als er Nob anblickte, lag ihm noch ein Rest des Lächelns auf dem Gesicht, und er nickte.

»Nun, die Neuigkeiten gibt es doch wohl eher bei euch«, bemerkte er zu Twelve. »Der ganze Wald redet über nichts anderes als über den Jungen, den du gefunden hast.«

»Nun ja«, sagte Twelve mit einem schnellen Blick auf Nob, »er ist schon eine ganze Weile hier. Er war dabei, als wir Granny besuchten.«

Der Fremde nickte. »Davon habe ich gehört.« Er wandte sich an Nob. »Und was hast du eigentlich genau getan, Junge, daß sie solche Angst vor dir hat?«

Nob wurde knallrot. »Ich – ich habe ihr eine Geschichte erzählt.«

Rasp betrachtete ihn interessiert. »Tatsächlich?« fragte er. Plötzlich merkte er, daß sich unter seinem Stuhl etwas bewegte, er drehte sich um und sah, daß der Lindwurm neben ihm in der Luft hing.

Unvermittelt erschien ein Lächeln auf Rasps Gesicht. Er hob eine Hand, faßte die Schlange unter dem Kiefer an und sagte: »Sei gegrüßt, Lindwurm! Schön, daß wir uns wieder begegnen.«

»Halt!« begann der Lindwurm verwirrt. »Halt, du! Wer bist du?«

»Aber Mester«, sagte Rasp, »erkennst du denn deinen Freund nicht mehr?«

»Der Mester Lindwurm hat keine Freunde, du Tor«, antwortete die Schlange. »Keine Freunde. Der Mester Lindwurm ist groß und mächtig und braucht keine Freunde. Er müßte doch nur sein Maul öffnen und ausatmen, schon würde sein feuriger Hauch die Welt verwüsten. Er müßte nur die gespaltene große Zunge ausstrecken, um ganze Städte und Berge in die kochende See zu fegen. Er müßte nur ...«

»Genug!« schrie Stout. Sie hatten diese Rede jeden Tag mehrmals über sich ergehen lassen müssen, seit die Schlange bei ihnen wohnte. Der Lindwurm verstummte ratlos.

Rasp streichelte den höckerigen Rücken und sagte: »Das ist wahr, der Mester hat keine Freunde, er steht über solchen Dingen. Dann betrachte mich nur als deinen getreuen Untertan, Lindwurm.«

Beschwichtigt glitt das Reptil wieder unter den Tisch zurück.

»Nun, Rasp«, sagte Needle und verschränkte die Finger über dem dunklen Holz, »du mußt uns alles erzählen. Berichte uns von deinen Reisen.«

»Die Dachse lassen grüßen«, antwortete Rasp, »und die Stachelschweine, die am Ufer des Flusses leben, ebenfalls. Ich war gerade bei ihnen zu Besuch, als ich hörte, was mit dem Lindwurm geschehen war. Ich ging sofort zum Tümpel, aber der Lindwurm war nicht zu bewegen, freiwillig von dort wegzugehen, deshalb habe ich Kay gebeten, euch zu Hilfe zu holen. Die Raben kamen also hierher?«

»Ja«, fuhr ihn der Zwerg an.

Rasp lachte. »Es ist nicht leicht«, sagte er, »aber schließlich können wir ihn nicht einfach sterben lassen.«

Der Zwerg antwortete nicht, aber Twelve beugte sich vor und zupfte Rasp am Ärmel. »Sag mir doch«, verlangte sie, »was du mir diesmal mitgebracht hast, Rasp!«

»Twelve!« mahnte Needle.

»Wie in aller Welt kommst du eigentlich darauf, daß ich dir etwas mitgebracht habe, du kleiner Quälgeist?« fragte Rasp.

Twelve lachte. »Ist es eine Holzschnitzerei?«

»So eine habe ich dir doch schon vor drei Wintern geschenkt.«

»Ein Gefäß mit Kräutern?«

»Hast du noch nicht genug Kräuter, Prinzessin?«

»Ich weiß, was es ist! Ich weiß es! Es ist ein Haustier, nicht wahr?«

Rasp lächelte auf sie hinab. »Jetzt erklär mir doch bitte, was du mit einem weiteren Haustier anfangen willst, nachdem du doch schon Hopeless und den Lindwurm hier hast.«

Twelve blickte auf die Schlange hinunter, die sich unter ihrem Stuhl zusammengerollt hatte. »Den Lindwurm mag ich nicht besonders«, sagte sie leise. »Überhaupt ist er Nobs Haustier.«

»Tatsächlich?« fragte Rasp und blickte den Jungen nachdenklich an. Twelve zupfte ihn wieder am Ärmel.

»Schön, schön, ich gebe auf!« sagte sie. »Ich gebe auf!«

»Twelve, was ist das für ein Benehmen!« tadelte Needle steif. Rasp grinste und wühlte in seiner Tasche. Seine Augen weiteten sich bestürzt.

»O nein!« rief er, hüstelte, sah in seiner zweiten Tasche und seiner Brusttasche nach, suchte in seinen Hosenaufschlägen und murmelte dabei die ganze Zeit vor sich hin. Twelve beobachtete ihn lachend. Jedes Jahr brachte er ihr ein Geschenk mit, und nie konnte er es finden.

Endlich richtete er sich auf. »Es scheint«, sagte er,

»es scheint ... nun, ich habe es verloren. Es tut mir leid.«

Twelve warf ihm die Arme um den Hals, und als sie ihn losließ strahlte sein Gesicht, und er hatte die Hand ausgestreckt. Auf der offenen Handfläche lag ein glatter runder Stein von trüber grüner Farbe.

Twelve starrte ihn an. »Ein – ein Kieselstein?« stammelte sie.

»Sieh ihn dir genauer an!« verlangte Rasp.

Die Hexe nahm den Stein, betastete ihn, rieb die glatten Seiten und hielt ihn in den Feuerschein. Dann keuchte sie und legte ihn so plötzlich auf den Tisch, daß es klirrte.

»Oh«, sagte sie. »Oh. Ich weiß, was es ist. Es ist ein Salamanderstein, nicht wahr? Nicht wahr, Rasp?«

Sein Lächeln gab ihr die Antwort. Sie wandte sich ab und warf noch einen Blick auf den Stein. Dann fiel sie ihm um den Hals.

Er drückte sie lachend an sich. »Er ist nicht nur von mir«, sagte er. »Jemand hat ihn mir gegeben.«

»Wer?«

»Wer könnte denn so etwas haben?«

»Doch nicht – doch nicht etwa Granny?«

Rasp nickte. »Bei meinem letzten Besuch begann sie auf einmal noch lauter zu brummeln als gewöhnlich, dann sagte sie, ich solle meine Suppe aufessen und verschwinden. Während ich hastig die Schale austrank, wühlte sie in der Ecke in dem Haufen aus Staub, Abfall und Dingen, die sie sammelt, und warf mir den Stein über die Schulter hinweg zu. Als ich wissen wollte, was das denn sei, schimpfte sie mich einen Narren. Ich fragte, ob er für mich bestimmt sei, und sie rührte in ihrem Kessel, schüttelte schließlich den Kopf und murmelte etwas von der Kleinen, der kleinen Hübschen, der kleinen Hexe. Ehe ich ging, erklärte sie mir, was das für ein Stein ist – sie behauptete allerdings, du würdest es wissen – und wozu man ihn verwendet. Sie ist sich darüber im klaren, daß sie nicht mehr die Kraft dazu hat, weil der Hund nur noch schläft und so weiter. Sie sagte, es sei ein Heilstein. ›Wahrscheinlich wird sie ihn einfach wegwerfen oder verlieren.‹ So drückte sie sich aus; dann scheuchte sie mich davon und sagte, sie hoffe, mich nie wiederzusehen.«

»Ein Salamanderstein«, murmelte Stout.

Needle nahm ihn mit knochigen Fingern, drehte ihn hin und her und sagte: »Ich habe schon einmal davon gehört, aber noch nie das Glück gehabt, einen zu sehen. Ein kostbares Geschenk, Twelve.«

Die Hexe lächelte. Als Needle ihr den Stein zurückgab, wickelte sie ihn sorgfältig in ein Stück Stoff und steckte ihn in die Tasche.

»Aber weißt du, Twelve«, fuhr Rasp fort, »ich habe dir ein Geschenk von jemand anderem gebracht, und dabei zerbreche ich mir seit Monaten den Kopf, was ich selbst dir schenken soll. Nun, hier habe ich etwas.«

Er griff in seinen Umhang und zog eine einzelne leuchtende Blume heraus. Die Hexe beugte sich vor und berührte die Blüte. Sie war weiß und silbern, und in die Blütenblätter waren zarte purpurne Muster eingeätzt. Das Innere leuchtete in reinem Gold. Es war ein Lenzblümchen. »Nein!« sagte sie. »Doch nicht zu dieser Jahreszeit! Wo in aller Welt hast du es gefunden?«

Er reichte es ihr mit einer Verneigung. »Ehrlich gesagt, ich bin ganz zufällig darauf gestoßen, in einer

Senke nahe der Stelle, wo die Stachelschweine wohnen. Die Schweine hatten mir gesagt, wo sie wuchsen, aber trotzdem hätte ich sie übersehen und wäre blind in den Wald hineingelaufen, wenn ich nicht über einen Stein gestolpert und direkt darauf gelandet wäre.«

Plötzlich streckte sich ein stumpfer Kopf unter dem Tisch hervor. »Du da«, sagte er, »sei gegrüßt!«

Rasp drehte sich um. »Sei gegrüßt, Lindwurm!«

»Du da«, stammelte der Lindwurm unbeholfen weiter, »kannst – kannst du eine Geschichte erzählen?«

»Sicher«, sagte Rasp. »Nach dem Essen.«

Die Schlange funkelte ihn an. »Du bist doch derjenige, der die Geschichten erzählt?« erkundigte sie sich unsicher.

»Ja, der bin ich.«

»*Aaaaaaaaaaahhhhhhhhhh*.« Das Reptil nickte und ließ sich mit auf- und abhüpfendem Kopf langsam unter den Tischrand sinken.

Rasp drehte sich um und begegnete dem Blick des Jungen. »Ich bin Märenerzähler«, erklärte er. »Ich habe dem Lindwurm einmal eine Mär über ihn selbst erzählt, und er hat die Augen geschlossen, Rauch aus den Nüstern geblasen und nichts gesagt. Jetzt weiß ich, daß er zugehört hat. Übrigens«, sagte er und wandte sich an die anderen, »was ich dieses Jahr gehört habe, klingt nicht gut ... überhaupt nicht gut.«

»Ja«, sagte Needle, »das wissen wir.«

»Ich fürchte«, sagte Rasp, »die Wassernymphen werden in diesem Frühjahr nicht aufwachen.«

»Aber natürlich werden sie aufwachen«, sagte Stout und beugte sich vor. »Selbstverständlich.«

»Die Dachse hatten schlimme Geschichten zu erzählen«, fuhr Rasp fort. »Nicht so sehr über die Nahrungsmittelknappheit, keine echten Entbehrungen, aber Gerüchte über Streitigkeiten untereinander, letzten Frühling wurde ein mißgebildeter Wurf geboren und – und ähnliche Dinge. Bei den Stachelschweinen, den Kaninchen und den Wölfen ist es das gleiche.«

Alle schwiegen.

»Nun, das ist nichts Neues«, sagte Needle. »Das wissen wir schon eine ganze Weile.«

Sie rückten ihre Stühle ans Feuer. Die Schlange glitt nach vorn und wickelte sich um die Beine von Nobs Stuhl.

»Die Stachelschweine haben sich gefreut, mich zu sehen«, sagte Rasp, »und merkwürdigerweise auch die Kobolde und Gnomen. Sie sind von der Veränderung nicht so sehr betroffen, vielleicht weil sie noch nie viel besaßen. Meine Lieder haben ihnen gefallen.«

»Haben sie dich freundlich aufgenommen?« fragte Needle zerstreut.

»Nun ja, so freundlich, wie es den Kobolden möglich ist«, sagte Rasp lachend. »Saure Milch zum Frühstück, tote Mäuse zum Abendessen, dergleichen eben. Sie glauben, was ihnen schmeckt, muß auch jeder andere mögen. Ich habe ihnen ein paar Mären erzählt, dann bin ich wieder gegangen.«

Stout senkte seine Pfeife, klopfte damit gegen die Armlehne des Stuhls und sagte: »Warum erzählst du uns jetzt nicht eine Mär, Rasp?«

Rasp blickte zur Decke hinauf und lächelte vor sich hin. »Schön«, sagte er. »Ich werde euch eine Mär über die Bäume erzählen.«

»O ja!« schrie Twelve, stand auf und setzte sich neben ihn auf den Boden.

Rasps Stimme hatte einen weichen, angenehmen Klang mit einem tiefen genußvollen Unterton. *Eine besonders gute Geschichte ist das nicht,* dachte Nob flüchtig. Danach dachte er nicht mehr viel, denn Rasps Worte erfüllten seinen Geist. Rasp schien eigentlich über nichts Bestimmtes zu sprechen, aber hin und wieder, zwischen vielen anderen Worten versteckt, hörte der Junge ein paar Bruchstücke über Wurzeln und Zweige, über die Sonne, über Wasser, feuchte Erdklumpen und aufsteigende Waldsäfte. Während Rasp sprach, sah Nob vor sich, wie der Regen auf die Äste fiel, er nahm die nie endende Bewegung hinter der Rinde wahr, vor seinem geistigen Auge trat der Saft aus, und das Licht wurde getrunken wie Wasser. All dies sah er und noch mehr: unter den Sternen zitternde Blätter; die schwere Schläfrigkeit des Winters; Träume von Frühling und Erwachen; kleine Tiere in ihren Nestern; das geistlose Zwitschern der Vögel.

Nob hatte den Kopf gesenkt und war halb im Traum, und als Rasp verstummte, durchfuhr den Jungen ein scharfer Schmerz. Sein Geist wurde klar, und als er aufblickte, sah er, daß auch die anderen erwachten.

»Danke«, flüsterte die Hexe, die sich vor Rasps Füßen zusammengerollt hatte. »Danke ...«

»Danke, Rasp.«

»Danke«, sagten auch Needle und Stout, dann standen sie seufzend auf, reckten sich und begannen den Tisch herzurichten. Vor dem Haus erlosch das Tageslicht; als Needle die Tür öffnete, schlug ihm der kalte Wind ins Gesicht und fegte an ihm vorbei in den Raum.

»Abendessen«, verkündete der Elf schließlich; die

Schalen wurden aufgestellt, gefüllt, geleert und wieder gefüllt; alles war still, man hörte nur die Geräusche beim Essen, das Knistern des Feuers und von draußen die leisen traurigen Töne eines Ziegenmelkers.

SECHS

Rasp blieb noch bei ihnen, während sich der Winter dem Ende zuneigte. Eines Morgens, als der Schnee schmolz und die Sonne kalt und hell an einem gelben Himmel stand, nahm er in aller Frühe seinen Wanderstab zur Hand.

»Keine Mären mehr?« fragte der Junge, der herausgelaufen kam, und Rasp beugte sich nieder und sagte: »Im Augenblick nicht, aber wenn wir uns wieder begegnen, habe ich dir sicher ein paar neue zu erzählen.« Während seines Aufenthalts in der Hütte hatte er drei Mären erzählt: die erste über die Bäume; die zweite, ein paar Tage später, über ein Kraut namens Salbeigras, eine ausführliche Geschichte über jedes einzelne Blatt, über den Stengel und die Wurzeln; und die letzte, ganz am Ende, von den Kobolden, ein Sturm von häßlichen Gedanken und Gesichtern und von undeutlicher, krächzender Sprache.

»Du solltest dich selbst im Erzählen üben«, sagte Rasp und sah ihn stirnrunzelnd an, »fur die Zeit, wenn du zu deinen eigenen Leuten zurückgehst.«

»Ich gehe nie wieder zurück«, sagte Nob.

»Na schön«, sagte Rasp und blickte zur Sonne hinauf, »wir werden sehen.«

»Ich gehe nicht!« schrie der Junge, drehte sich um und hinkte ins Haus zurück.

Rasp hob seinen Wanderstab und lächelte Needle, Stout und Twelve zu. Dann verließ er sie ohne ein weiteres Wort und schritt in den schattigen Korridor hinein, den die Bäume für ihn auftaten.

Und so schwand der Winter dahin, und die Lenzblümchen wuchsen dicht und weiß im Gras. Der Wald gähnte und erwachte brummend. Twelve ging wieder hinaus und sprach mit den Bäumen. Sie nickten ihr grüßend zu und erzählten ihr seufzend von ihren Winterträumen.

»Es ging ein Wwwwwwiiiinnnnnndddd«, sagte eine junge Ulme eifrig. »Ein großer Wind, der mir in die Äste fuhr, und darin sangen Stimmen, sie sannngggeeennn ... es war herrlich ... wenn du es doch gehört hättest ...« Und sie versuchte, mit knackenden, pfeifenden Ästen das Geräusch nachzuahmen.

»Das ist gar nichts«, flüsterte eine schwarz bemooste Eiche in der Nähe. »Gar nichts. Ich träumte, ich bewegte mich durch den Wald, immer im Kreis herum, die Sterne schwiiirrrtennn mir über dem Kopf ... sie schwwwwiiirrrtteeennn. Und alle Waldbewohner raaannnteeen und tanzten, und die Flammen brannten ... braaannnttteeennn ...«

Wie in jedem Frühling saß Twelve da und lauschte, denn manchmal hatten die Bäume schöne Träume und manchmal häßliche, aber es lohnte sich immer, ihnen zuzuhören.

Eines Spätnachmittags klopfte es an die Tür. Stout öffnete und schnaubte überrascht. »Das ist ja Wolly!« sagte er. »Willst uns besuchen kommen, was?«

Von draußen war ein hohes dünnes Winseln zu hören. »Guten Tag«, sagte eine Stimme hastig, »guten Morgen, guten Tag. Ja, wie geht es euch, wie geht es euch, mir geht es gut, vielen Dank auch. Guten Morgen.«

»Komm herein, Wolly!« rief Needle. »Komm herein! Lange nicht gesehen.«

Stout trat beiseite, und ein schmächtiger Mann schob sich durch die Tür. Auf der Schattenlinie zwischen dem Tag draußen und dem Zwielicht im Innern blieb er zögernd stehen und sprach mit hoher zittriger Stimme weiter.

»Guten Tag, guten Tag«, sagte er und verneigte sich. »Wie geht es euch, wie geht es euch, schön, euch zu sehen, danke, sehr gut. Sehr gut. Schönes Wetter, was?«

»Komm herein, Wolly!« bat der Zwerg, führte ihn an den Tisch und half ihm, sich auf einen Stuhl zu setzen. Der kleine Mann nahm die Mütze ab und knetete sie krampfhaft zwischen den Händen.

»Hallo«, winselte er, »hallo. Wie geht es euch? Sehr gut, sehr gut, vielen Dank. Danke.«

»Möchtest du etwas trinken?« fragte Twelve.

Wolly schüttelte den Kopf. »Ach nein«, sagte er, »ach nein, vielen Dank, kleines Fräuleinchen. Danke. Keine Zeit. Keine Zeit, weißt du?«

Dann fuhr er keuchend zurück, denn der Lindwurm streckte den Kopf unter dem Tisch hervor, um ihn genau zu mustern.

»Halt!« begann er. »Du da. Gib dich zu erkennen.«

»O jemine!« winselte der Alte. »O jemine!«

»Du da«, sagte die Schlange, »sprich, sage ich! Wie heißt du? Wie lautet das Kennwort?«

Der alte Mann drückte die Mütze an sich, und Stout schrie: »Ach, laß ihn doch in Ruhe, du Narr!«

Nob lief hinzu und nahm den Kopf der Schlange in die Hände. Sie wollte wieder mit ihrem ›Halt! Du da!‹ anfangen, aber er drückte sie sanft auf den Boden.

»Es tut mir leid, Wolly«, sagte Needle. »Wir haben

den Lindwurm den Winter über aufgenommen. Nun, was ist los?«

»Danke«, schrie Wolly, »verbindlichsten Dank! Ich bin gekommen – ich bin gekommen, um euch zu sagen ... Es geht um das Jeinhorn!«

Er brach ab.

»Das Jeinhorn?« ermunterte ihn der Zwerg. »Ja? Und?«

»Es ist – es ist das Jeinhorn – das Jeinhorn ... es ist – es ist verletzt, es stirbt!« schrie Wolly. Er legte die Mütze auf den Tisch, senkte den Kopf darauf und brach in Tränen aus.

Hopeless knurrte leise unter dem Tisch.

»Es geht um das Jeinhorn!« schrie Wolly und hob das runzelige Gesicht. »Es – es streifte draußen herum ... und einige Jäger haben es gefunden! Sie haben es gefunden, und sie haben darauf geschossen, es steckt voller Pfeile! Es – es hat einen Pfeil – genau *hier* hinein – genau ins Herz bekommen! Genau ins Herz!« Er faßte sich mit matter Geste an die eigene Brust. »Und – und ich war die ganze Zeit dabei, ich stand direkt hinter ihm ... aber es gab keinen Laut von sich, nein, keinen einzigen Laut, bis alles vorüber war ...!« Er senkte den Kopf, und Tränen liefen ihm über die Nase.

»Ich dachte«, sagte Needle langsam, »Pfeile könnten einem Jeinhorn nichts anhaben.«

»So war es bisher auch«, flüsterte Stout.

»O nein«, sagte Twelve, die endlich die Sprache wiedergefunden hatte. »Needle, nein ... nicht das *Jeinhorn!*«

»Ich war direkt dabei!« schrie Wolly, und man hörte seiner Stimme an, wie ihm das Herz klopfte. »Aber es hat keinen Ton von sich gegeben! Keinen einzigen

Laut! Nur ein *Wusch!*, als es umfiel, und dann ... nichts mehr!«

Needle beugte sich vor und rüttelte ihn an der knochigen Schulter. »Wolly«, sagte er, »wo ist es? Wo ist es? Wir müssen zu ihm.«

Der Alte hob den Kopf. »Deshalb bin ich gekommen«, sagte er und legte eine runzelige Hand, brüchig wie ein Winterblatt, auf Needles Arm. »Deshalb ... ich will dich und das kleine Fräuleinchen dort mitnehmen ...« – er nickte Twelve zu –, »weil ich weiß, daß ihr mir helfen könnt ... ich weiß, ihr könnt es heilen.« Sein Gesicht hellte sich auf, er erhob sich hastig und stieß den Stuhl zurück.

»Es ist ganz in der Nähe!« schrie er und schlurfte zur Tür. »Kommt, folgt mir, es ist nicht weit. Es ist gar nicht weit.« Er verschwand durch die Tür, nur die alte Stimme war noch zu hören, sie schwebte in der Hütte herum wie ein Geist. »Wir kommen!« hörten sie ihn leise rufen. »Wir kommen, mein Schätzchen! Keine Sorge! Dein Wolly wird sich um dich kümmern, das weißt du doch!«

»Stout, pack die Arzneien ein!« bat Needle. »Twelve, mach dich bereit! Nimm alles mit, was du für nötig hältst. Was in aller Welt sollen wir mit *ihm* anfangen?« fragte er und zeigte auf Nob.

Stout kletterte von seinem Stuhl und stopfte kleine Flaschen und Gefäße in einen Sack. »Laßt ihn hier«, sagte er. »Er hat dort nichts zu suchen.«

Der Junge blickte den Elf an. »Nein«, sagte er. »Bitte, laß mich mitkommen!«

»Was fangen wir dann mit dem Lindwurm an?« fragte Needle. »Hopeless wird hierbleiben müssen, um auf ihn aufzupassen, damit er nichts anstellt.«

»Nein!« sagte Twelve und stampfte mit dem Fuß auf. »Hopeless brauche ich bei mir.«

»Laßt mich mit dem Lindwurm reden«, sagte der Junge. »Ich werde ihm sagen, er soll hierbleiben und für uns das Haus bewachen.«

»Mach schnell!« Mehr sagte der Elf nicht.

Nob ging zum Lindwurm hinüber. Er kniete nieder, nahm den Schlangenkopf in beide Hände und sprach mit ihm. Der Lindwurm blickte zu ihm auf. »Ja«, hörten sie ihn sagen, und seine Stimme wurde immer kräftiger. »Ja, ich bleibe hier und bewache die Tür, während ihr fort seid. Ihr tut gut daran, mir zu vertrauen. Ich werde jeden anrufen, der in die Nähe dieses Berges kommt. Ich schwöre es: ich, der Mester Lindwurm.«

Der Junge senkte den Kopf und murmelte noch ein paar Worte. Dann stand er auf und holte seine Jacke.

Sie eilten hinaus, schlossen die Tür hinter sich, und Nob rief dem Lindwurm noch einen schnellen Abschiedsgruß zu, aber der antwortete nur mit einem langen Zischen.

Die Bäume hatten die Schmerzwellen gespürt, die von dem stürzenden Jeinhorn ausstrahlten, und diejenigen, die dicht genug dabeistanden, um die Jagd sehen zu können, hatten den übrigen mitgeteilt, was geschehen war. Sie hatten getan, was sie konnten, um die Jäger in die Irre zu führen. Als das Jeinhorn stürzte, umdrängte es der Wald wie eine riesige Hand, die sich schließen will. Man hatte es zu einer nahegelegenen Höhle getragen und ihm aus Gras und Heidekraut ein Lager gemacht.

Sobald die Höhle in Sicht kam, lief Wolly mit einem Freudenschrei voraus und drängte sich durch die Menge der Waldbewohner, die sich hier versammelt hatten.

»Wir mußten es doch irgendwo hinbringen!« schrie er. »Wir mußten es irgendwo hinbringen. Ich konnte es nicht einfach dort lassen ... nein, das konnte ich nicht. Wie geht es dir, Liebchen?« jammerte er und sank neben dem Lager des Jeinhorns auf die Knie. »Wie geht es meinem Schätzchen?«

Die Menge machte Needle, Stout und Twelve Platz. Nob kam keuchend hinterdrein und konnte nur einen flüchtigen Blick auf die fremdartigen Gesichter ringsum werfen, ehe Twelve den Arm nach ihm ausstreckte und ihn in die Höhle zog. Und dann stand er vor dem Jeinhorn.

Es hatte keinerlei Ähnlichkeit mit dem Wesen, von dem der Junge hatte erzählen hören, seit er ganz klein war. Tante Lace hatte ihm gesagt, daß immer noch Einhörner durch die Wälder streiften. Unter den Reimern hatte es ein paar alte Frauen gegeben, die behaupteten, in ihrer Jugend ein Einhorn gesehen zu haben, und es wurden Balladen über das zierliche Einhorn gesungen, das zwischen den Bäumen lebte und niemals alt wurde. Ein Einhorn, so hatte man dem Jungen erklärt, war so groß wie ein Pferd, es hatte gespaltene Hufe, einen Löwenschwanz und einen Ziegenbart, und alles an ihm war so strahlend weiß wie das Haar einer alten Frau. Aus der Mitte der Stirn ragte ein einzelnes Horn, das von selbst zu leuchten begann, wenn der Vollmond schien oder wenn Magie am Werk war. Einhörner waren niemals traurig, schuldbewußt oder müde, und nichts konnte ihnen etwas anhaben, weder die Pfeile von Jägern noch das Leid, noch der Lauf der Jahre.

Das Jeinhorn hatte jedoch nichts von alledem. Es war zwar so groß wie ein Pferd, aber von einem schlammigen Blaugrau. Aus der Stirn wuchs ihm ein großes braunes Horn von der Farbe toter Blätter, das wie eine Spirale gedreht war und in einer nach oben offenen Kurve endete. Die Hufe waren gespalten, aber dick und plump, und Rücken und Hals waren mit zottigem Fell bedeckt, das vom Körper abstand wie die Borsten eines Stachelschweins. Es hatte Pferdeohren, die am Kopf anlagen, aber anstelle einer Pferdenase hatte es einen kleinen schnüffelnden Elefantenrüssel mit Stoßzähnen auf beiden Seiten und darunter einen spärlichen Bart. Der Schwanz war nackt wie der einer Ratte, am Ende ausgefranst und in der Mitte zu einem kleinen Knoten geschlungen. Das Tier lag auf der Seite und hatte den Kopf im Heidekraut vergraben.

Needle kniete nieder und winkte Stout, der schon in aller Eile den Sack auspackte. Twelve trat an die andere Seite des Lagers, kniete dort nieder und sah Needle an. Neben dem Hexenbalg kauerte Hopeless, klein und struppig, im Zwielicht der Höhle. Die Menge drängte sich leise und tonlos murmelnd heran. Neben Nob stand ein koboldähnliches Geschöpf, so gebeugt und verkrümmt wie ein verkrüppelter Baum, die Haut war grau, und die Augen quollen ihm so hell und glatt wie zwei Eier aus dem Kopf hervor. Der Kobold redete mit heiserer Stimme mit seinem Nachbarn, einem schwarzen Wolf. Auf der anderen Seite stand ein Zwerg, der Nob etwa bis zur Taille reichte. Er unterhielt sich mit einem Wesen, das aussah wie eine große schlanke Frau, aber als Nob sie genauer betrachtete, begannen die Züge auf dem Gesicht zu zerfließen, der Körper fing plötzlich an zu schmelzen und zu rinnen wie ein plätschernder Bach. Der Junge blinzelte, und die Frau war wieder da, das lange Smaragdhaar fiel ihr wie ein Büschel Wasserpflanzen den Rücken hinab.

An seiner Seite stand Rasp, den Blick auf Wolly gerichtet. Der alte Mann gurrte dem Jeinhorn leise ins Ohr. »Komm komm«, hörte der Junge ihn sagen, »komm, komm, mein Liebchen, keine Angst, keine Angst! Komm, komm, mein Gutes!«

Das Jeinhorn war blutüberströmt. Das Blut kam aus einer Wunde in der Brust und aus kleineren Verletzungen am ganzen Körper. Jetzt bewegte es ein Vorderbein und hob den Kopf. »Wolly?« fragte es unsicher. »Wolly?«

Der alte Mann schüttelte sich von Kopf bis Fuß wie ein Hund. »Ja, Schätzchen!« schrie er. »Ja! Wolly ist hier!«

Das Jeinhorn legte den Kopf schief. »Wolly?« wiederholte es in dem gleichen ruhigen Ton. »Wolly? Warum bist du weggegangen?«

»Nein, nein!« schrie Wolly. »Nein, Liebling! Ich bin hier, genau wie ich es dir immer versprochen habe! Wolly ist hier.«

Das Tier seufzte. Der Kopf sank ihm hinab. »Wolly?« wiederholte es. Dann legte es den Kopf langsam wieder auf das Lager.

Der alte Mann hob das Gesicht zum Himmel. »O nein!« klagte er. »O nein! Bitte, es soll mich hören! Bitte, es soll mich doch hören!«

»Genug!« sagte Needle scharf. »Twelve, bist du bereit?«

Das Mädchen nickte.

»Stout, hast du die Arzneien?

Der Zwerg brummte etwas, ohne die Augen von den Fläschchen und Gefäßen zu wenden, die er neben sich auf dem Boden bereitgestellt hatte.

»Gut. Hopeless?«

Der Hund sah ihn über den massigen gewölbten Leib des Jeinhorns hinweg nur traurig an.

»Hopeless ist bereit«, sagte das Hexenbalg.

»Gut«, antwortete Needle. Er wählte eines der am Boden stehenden Gefäße, öffnete es, murmelte ein paar Worte und streute ein feines weißes Pulver über die Wunden des Jeinhorns. Die Menge verrenkte sich die Köpfe. Needle wählte eine zweite Flasche, brach sie mit einem scharfen Schlag gegen den Höhlenboden auf und goß eine dunkle Flüssigkeit in eine Schale.

»Stout«, sagte er.

Der Zwerg hob eine funkelnde, in der Mitte gerundete, an den Enden kannelierte Phiole. Er entkorkte sie vorsichtig und goß den Inhalt in die Schale. Needle tauchte einen Finger hinein und machte neben dem Kopf des Tieres auf dem Boden ein Zeichen. Dies wiederholte er in einem großen Kreis um das Jeinhorn herum. Dann lehnte er sich zurück und murmelte einen langen Text. Ein-, zweimal geriet er ins Stocken.

»Das ist schon richtig«, hörte Nob den Zwerg an seiner Seite sagen. »›Nilana sor y estasia nil‹, ganz genau.«

Von allen Seiten hörte der Junge Stimmengemurmel, das sich mit Needles Worten hob und senkte. Twelve hatte den Kopf zurückgeworfen, ihre Lippen bewegten sich lautlos. Wolly kauerte flüsternd neben dem Kopf des Jeinhorns, seine Worte folgten ihrer eigenen Melodie.

»*Lisorelliananil*«, murmelte die Wasserfrau, und ihre Gesichtszüge veränderten sich fließend im Rhythmus der Silben.

Der Kobold neben Nob sang mit rauher Stimme vor sich hin und hüpfte dabei auf seinen Säbelbeinen auf und ab.

Auf einmal verstummte der Chor.

»*Nilana!*« schrie Needle, die Menge und die Bäume beugten sich schwankend nach vorn, aber nichts geschah. Wolly wimmerte in das Heidekraut hinein.

Needle lehnte sich mit leerem Gesicht zurück. Der Kobold neben Nob ließ ein häßliches Schnalzen hören, und der Wolf senkte knurrend den Kopf.

»Washabenwirwashabenwirhabenwirvergessen?« seufzte die wirbelnde Stimme der Wasserfrau. »Washabenwirhabenwirhabenwirvergessen?«

»Zu lange her«, sagte eine Stimme von weiter hinten. »Es ist zu lange her.«

»Still!« fauchte Stout und erhob sich mühsam. »Seid still!«

Die Finger des Elfs glitten zerstreut über die Gefäße. Dann schüttelte er den Kopf. »Ich brauche Zeit«, sagte er. »Zeit zum Nachdenken. Twelve und Hopeless sollen es versuchen.«

»Ich bin bereit«, sagte Twelve.

Sie griff in ihren Umhang, zog ein kleines Päckchen heraus und wickelte es aus. Ein trüber runder Stein kam zum Vorschein, Rasps Wintergeschenk. Sie legte eine Hand auf den Kopf von Hopeless und hielt ihm den Stein unter die Nase. Der Hund schnupperte daran und senkte den Kopf.

Nob blinzelte. Auf Twelves Hand hüpfte flink ein

winziger leuchtendbunter Vogel und zwitscherte entzückt.

»Hopeless«, fragte Twelve, »was in aller Welt ist *das?*«

Der Hund machte ein trauriges Gesicht. Twelve hielt ihm den Vogel noch einmal hin. Beide starrten sie das flatternde zirpende Spielzeuggeschöpf an. Der Vogel zwinkerte ihnen schelmisch mit einem Auge zu und hüpfte leichtfertig im Kreis herum. Als sein Gesang unvermittelt abbrach, war plötzlich alles still. Auf Twelves Hand ringelte sich eine kleine rote Schlange, dünn wie ein Band.

Die Hexe hielt sie sich dicht vor das Gesicht. »Das ist nicht schlecht«, sagte sie. »Aber es ist noch nicht ganz als Richtige. Komm jetzt, Hopeless!«

Hinter sich konnte Nob jemanden »Zweigroschenkunststückchen. Ein Karnevalsscherz«, murmeln hören.

»Ssscht!« warnten andere Stimmen. Auf Twelves Hand kroch jetzt eine rote Spinne, groß wie ihre Handfläche.

»Fast«, schmeichelte Twelve. »Beinahe. Komm schon, Hopeless! Komm!« Sie sprach leise, flehentlich auf ihn ein. Der alte Hund starrte die Spinne, die ihm mit zwei Beinen zuwinkte, wütend an. Plötzlich schwoll das Insekt auf und zerplatzte wie ein Ballon.

An seiner Stelle war eine blutrote Eidechse erschienen. Hopeless' Fell war gesträubt, als habe er Stacheln. Das Wesen hob seinen winzigen Kopf und zischte wie eine Flamme. Ein Flüstern durchlief die Menge.

»Ein Salamander«, sagte eine Stimme hinter Nob. »Eine Feuerechse, bei Gott!«

»Ein Salamander«, murmelten andere Stimmen. *»Ein Salamander ...«*

Twelve setzte die Echse auf die Stirn des Jeinhorns. Das Tierchen ringelte den Schwanz um das Spiralenhorn und begann zu sprechen. Dabei leuchtete es heller und heller, bis die Höhle von grellem Licht erfüllt war.

Der Junge spürte ein Schaudern in sich aufsteigen. »Ach ja«, hörte er den Kobold murmeln. »Ach ja ... der Zauber ... der Zauber ... ich hatte es ganz vergessen ...«

Die Wasserfrau hatte die Arme ausgebreitet und schwankte mit geschlossenen Augen hin und her. *»Jaaaaaaaaaa«*, sang sie mit unheimlicher Stimme, und es klang, als streiche der Wind durch die Sumpfgräser. *»Jaaaaaaaaaa ...«*

Der Junge blickte sich um, plötzlich verängstigt. Die Menge schwankte und sang im Einklang mit dem Salamander. Das Jeinhorn hatte die Augen geöffnet, auf seinem Gesicht lag ein merkwürdiger Ausdruck. Es versuchte offenbar, sich an etwas zu erinnern.

Das Singen ging immer weiter. Endlich hob das Jeinhorn den Kopf, die Stoßzähne funkelten im Licht des Salamanders. Mit einer gewaltigen Anstrengung kam es taumelnd und keuchend auf die Beine. Die Menge schrie Beifall. Die Feuerechse kroch an die Spitze des Spiralenhorns und blieb dort sitzen. Das Jeinhorn blickte sich um, die Knie knickten fast ein, der Kopf war gesenkt. Der Junge sah bestürzt, daß immer noch Blut aus der Brust auf den Boden lief.

Auch Wolly sah es. »Nein!« schrie er. »Nein! Du wirst es töten! *Du wirst es töten!*«

Der Kopf des Jeinhorns fuhr mit einem Ruck in die

Höhe. Der Salamander unterbrach seinen Gesang. Sein Licht verblaßte schnell, es strömte davon, versickerte in der Dunkelheit der Höhle. Mit ihm verblaßte auch der Salamander selbst und wurde immer kleiner, bis er aussah wie eine Rose, dann wie eine Kohle und schließlich nur noch wie ein winziges Brandmal. Das Horn des Jeinhorns stieß auf den Boden, seine dicken Beine klappten zusammen, das Tier brach schwerfällig auf dem Höhlenboden zusammen.

SIEBEN

Sɪᴇ ʜᴏʙᴇɴ ᴅᴀs Jᴇɪɴʜᴏʀɴ ᴀᴜꜰ und trugen es durch den Wald. Der Abend dämmerte, und die Fackeln, die sie mit sich trugen, leuchteten schwach. Das Jeinhorn gab unterwegs keinen Laut von sich. Wolly stapfte mit hängenden Schultern neben der Trage her.

Sie wollten das Jeinhorn an einen geheimen Ort bringen, auf eine Weise, wo einst getanzt und gesungen und mächtige Magie gewirkt worden war. Die Waldbewohner tanzten nicht mehr, die Magie war verschwunden, aber die Wiese war immer noch da und wartete, in Nebel gehüllt. Needle war es, der die Verlegung vorgeschlagen hatte. »Die Höhle taugt nicht dazu«, sagte er. »Das muß draußen geschehen, unter freiem Himmel.«

Als sie die Wiese erreichten, stellten sie die Trage in der Mitte ab und knieten wie zuvor ringsherum nieder. Dann begannen sie noch einmal von vorn. Needle streute Pulver und murmelte Zaubersprüche; Twelve und Hopeless ließen einen Funkenschauer auf den Körper des Jeinhorns niederregnen; Stout entkorkte Gefäße und trug Salben auf. Von Zeit zu Zeit öffnete das Jeinhorn die Augen und blickte müde um sich. Dann gab es auf und glitt wieder in Schlaf.

Endlich lehnte sich der Elf zurück. »Es gelingt nicht«, sagte er.

»Ich kann mich einfach nicht erinnern«, jammerte Twelve, den Tränen nahe. »Ich kann mich nicht erinnern. Sogar Hopeless hat alles vergessen.«

»Es geht uns allen so«, sagte Needle.

Wolly hob den Kopf. »Nein«, flüsterte er. »Ihr müßt euch erinnern! Ihr müßt es retten!«

»Es tut mir leid, Wolly«, sagte Needle. »Ich weiß einfach nicht, wie.«

»Nein«, widersprach Wolly. »Ihr müßt ... ihr müßt einfach!« Er kam stolpernd auf die Füße. »Ihr ... müßt ... doch«, sagte er und deutete mit dem Finger auf die Menge. »Ihr ... alle! Ihr müßt ... *etwas tun!*«

»Wolly«, sagte Needle und streckte die Hand aus.

»Geh weg!« schrie Wolly und riß den Arm hoch. »Geht weg! Alle! Wozu – wozu seid ihr denn nütze ... wenn ihr *es* nicht retten könnt? Wenn es stirbt, dann, weil es *zu gut* für euch war! Es war zu gut, um hier zu leben. Seht ihr das nicht? Begreift ihr es nicht? Es war *das einzige schöne Wesen, das es im Wald noch gibt!*«

Die Menge drängte zornig nach vorn. Needle stieß Wolly beiseite und hob die Hand. Die anderen Wesen blieben stehen.

Twelve stand auf. »Wolly«, sagte sie, »hör mir zu. Woran kannst du dich erinnern? Du warst doch einmal ein Zauberer. Woran kannst *du* dich erinnern?«

Wolly hob den Kopf und blickte zu den Sternen auf. »Weiß nicht«, murmelte er. »Weiß nicht. Lange her ... sehr lange.«

Die Hexe redete schmeichelnd auf ihn ein, wie sie es mit ihrem Hund zu tun pflegte. »Komm schon, Wolly«, sagte sie, »nun komm! Du kannst dich doch erinnern, nicht wahr? Du weißt doch noch ... wie es war?«

»Nein«, sagte er und schüttelte den Kopf. »Kann mich ... nicht erinnern. Weiß nicht mehr.«

Twelve lachte, ein scharfes, klapperndes Geräusch. »Weißt du nicht mehr, wie du mir die Tricks gezeigt hast? Kaninchen in Hüte und Hüte in Kaninchen. Du hattest für alles einen Trick, Wolly.« Sie beugte sich ganz dicht zu ihm. »Ja, du hast es gewußt«, sagte sie. »Du hast es gewußt. Und es ist nicht alles fort, Wolly. Noch nicht. Noch nicht. Du hast nicht alles vergessen.«

Das runzelige Gesicht starrte sie an, die Augen, die Nase und der Mund bildeten im Licht der Fackeln ein Fragezeichen.

»Kaninchen«, sagte Wolly schließlich.

Twelve warf einen Blick zu Needle hinüber. »Kaninchen«, wiederholte sie und nickte.

»Zauberer ...«, sagte er.

Twelve packte ihn an beiden Armen. »*Zauberer!*« schrie sie. »Du *warst* einer! Und dein Vater und *sein* Vater! Weißt du noch! Erinnerst du dich?«

Wolly taumelte zurück. »*Zauberer!*« keuchte er mit Tränen in den Augen.

Er blickte zu den Sternen auf. Langsam, ganz langsam wurden seine Augen klar. »Feuer«, sagte er. »Wir brauchen ... Feuer.«

Auf ein scharfes Wort von Needle hin zerstreute sich die Menge. Einer nach dem anderen kam zurück, die Arme voll Reisig. Alles wurde sorgfältig in einem Kreis um Wolly aufgestapelt.

»Ja«, sagte Wolly, »so ist es gut.« Er hob eine Hand und zeigte auf die Holzstapel. »Feuer«, sagte er.

Der Reisigring ging in Flammen auf.

Ein Lächeln glitt über das Gesicht des alten Mannes. »Ich *erinnere* mich!« sagte er. Dann trat er zurück und faßte mit der Hand in die Flammen.

Die Menge keuchte erschrocken auf. Wolly hob die Hand, und sie sahen mitten auf seiner Handfläche eine

Feuerblüte mit aufgerichteten Blütenblättern lodern. Er trat an das Jeinhorn heran.

»So, mein Liebchen«, flüsterte er, »sieh mal, das ist für dich. Ja, mein Schätzchen, das ist für dich.«

Das Jeinhorn konnte den Kopf nicht heben, also beugte sich Wolly vor und legte die Blüte dicht neben die Stelle an dem Horn, wo sich der Salamander angeklammert hatte.

»So ist es recht«, hörten sie ihn sagen. »Da gehört sie hin, nicht wahr? Nicht wahr? Jetzt wirst du dich gleich besser fühlen, du wirst schon sehen.«

Das Tier drehte den Kopf. Sein Atem ging flach, die Augen blickten starr in die Ferne. Es konnte Wolly, den Kreis von Waldbewohnern oder die Bäume dahinter nicht mehr sehen. Vor ihm tanzte ein Herz aus Feuer, eine weiche Flammenwolke. Die Wolke verschob und verwandelte sich, wurde zu einer Gruppe von blutrot leuchtenden Blütenblättern, zu einer glatten glänzenden Kugel, zu einer zierlichen Gestalt, die die Arme nach ihm ausstreckte. Eine Feuergestalt ging fließend in die nächste über, nun war es ein Salamander, der seinen Schwanz einrollte und ihm mit lieblicher Stimme vorsang, dann eine Feuernymphe mit rot und aquamarinblau wogendem Gesicht, deren Augen ihm durch den Flammenschen hindurch zulächelten; und schließlich schauten die liebevollen runzeligen Züge des alten Wolly wie aus großer Höhe zu ihm herab.

Das Jeinhorn starrte wild hinauf. »Wolly«, sagte es. »Wolly!« Das Gesicht des Alten drehte sich, verschwamm, schrumpfte zu einer glühenden Kohle, die mit der Stimme der Feuerechse sang. »Wolly!« rief das Jeinhorn verzweifelt. Die Echse glitt lachend davon, in die Dunkelheit hinein. »Nein!« schrie das Jeinhorn auf »*Nein!*« Es wälzte sich auf den Bauch und bemühte sich krampfhaft aufzustehen. »*Nein!*« schrie es, dann war es mit einem gewaltigen Schwung keuchend auf den Beinen. »Nein!« schrie es. »*Nein!* Wolly!«

Es wollte sich umdrehen, aber seine Füße waren träge und schwer. Der Kopf sank herab, es brach langsam zusammen.

Plötzlich breitete die Feuerblüte ihre Blätter aus, umwallte es und hielt es aufrecht. Es stand mit weit aufgerissenen Augen da, im Innern einer feurigen Kugel gefangen. Während die Waldbewohner noch zusahen, begannen sich seine Züge zu verändern. Der Rüssel schrumpfte, die Augen wurden größer, die Stoßzähne verschwanden, der massige mißgestaltete Leib wurde kleiner, graziler, die Ohren verkleinerten sich und bekamen die Form von Rosenblättern, der Schwanz verlor die rattenähnliche Nacktheit und bekam lange wallende Haare, und das borstige Fell, das den Hals und den Rücken bedeckte, schmolz in den Flammen dahin, und zurück blieb eine Mähne aus hellstem Gold. Und das Horn, das große gekrümmte Horn, ragte kerzengerade aus der Stirn hervor. Das Tier hob den Kopf, reckte den zerbrechlichen Hals, und vor aller Augen stand in der Feuersäule ein echtes Einhorn mit wallender Mähne und einem rot und golden glänzenden Horn. Das Einhorn bäumte sich auf und schlug mit den gespaltenen Hufen. Die anderen wichen zurück. Wolly saß zusammengesunken auf dem Boden, ihm fielen fast die Augen aus dem Kopf.

Ganz plötzlich flimmerte die Kugel und zerplatzte. Die Waldbewohner schrien auf und rannten davon, um sich in Sicherheit zu bringen.

Lange Zeit war alles still.

Dann kamen sie mit großen Augen zurückgeschlichen und entdeckten einen versengten geschwärzten Ring im Gras. In der Mitte stand das Jeinhorn, es war wieder heil und gesund, das Stoppelfell auf seinem Rücken war gesträubt, es blickte verwirrt um sich und rief mit seiner sanften Stimme: *»Wolly?«*

ACHT

EINE WOCHE SPÄTER ging der Lindwurm fort. Sie waren spät in der Nacht von der Wiese zurückgekehrt und an ihrer Tür mit einem schroffen: »Halt! Wer ist da?«, gefolgt von einem wilden Zischen, empfangen worden. Stout hatte die Beherrschung verloren und die verwirrte Schlange beschimpft, die sich gleich hinter der Tür zusammengerollt hatte.

»Narr! Idiot!« schrie der Zwerg und stapfte vor dem Haus auf und ab. »Wie kannst du es *wagen!* Geh zur Seite und laß uns ein!«

Es kam keine Antwort. Einen Augenblick später hörten sie die Stimme des Lindwurms schwach durch die Tür. »Wie lautet das Kennwort?« erkundigte sie sich steif.

»Es *gibt* kein Kennwort, du Tor«, schrie Stout und schlug mit den Fäusten gegen die Tür. »Es *gibt* kein Kennwort«, wiederholte er dann flüsternd und barg den Kopf in den Händen.

»Das Kennwort, bitte«, beharrte die trockene Stimme.

Needle hielt die Fackel. Jetzt nahm er den Stab des Zwergs in die andere Hand und schlug damit gegen die Tür. »Lindwurm! Laß uns ein!« rief er. »Wir sind es, Twelve, Needle, Stout und Nob! Wir wohnen hier, Mester!«

Sie hörten Schuppen über den Holzboden scharren. Ein Auge der Schlange erschien in einem Astloch in der Tür und spähte wütend zu ihnen heraus.

»Tricks«, sagte sie knapp. »Lügen. Nichts als Lügen.

Glaubt ihr Sterblichen, ihr könnt mich so leicht hereinlegen?« Das Auge verschwand. »Niemals«, hörten sie die Schlange zu sich selber sagen, als sie ihren Posten wieder einnahm. »Laß niemanden ein, hat er gesagt. Genau das hat er gesagt. Es ist meine Pflicht, Wache zu stehen.«

Needle wandte sich an Nob. »Hast du dem Lindwurm ein Kennwort gegeben?« wollte er wissen.

»Nein! Ich – ich sagte, wir würden bald wiederkommen, und er solle Wache halten bis zu unserer Rückkehr ... und sonst niemanden einlassen.«

»Ist das alles?«

»Ich – ich glaube schon«, stammelte Nob. »Ach ja, ich sagte noch, wenn wir zurückkämen, würden wir ihm unseren Dank aussprechen ... ich dachte, das würde ihm gefallen ...«

»Verstehe«, sagte der Elf grimmig, trat wieder an die Tür, schlug dagegen und schrie: »Mester! Mester Lindwurm!«

Das rot-grüne Auge erschien erneut am Astloch und funkelte sie mit kühlem Mißtrauen an.

»Das Kennwort?« verlangte die Stimme.

»Mester Lindwurm«, rief der Elf, »ich bin gekommen, um dir unseren Dank auszusprechen und dir zu sagen, wie tief wir dir für den Dienst verbunden sind, den du uns geleistet hast. Du hast die Tür gut und lange bewacht. Jetzt laß uns ein, du Narr!«

Das Auge verschwand, man hörte ein hastiges Schleifen hinter der Tür. Dann ertönte die Stimme des Reptils, hoch und gebieterisch. »*Tretet ein!*« rief es.

Needle stieß gegen die Tür, und sie öffnete sich. Als sie eintraten, lag die Schlange zusammengerollt mitten im Raum und blinzelte ihnen mit einer Mischung aus Freude und Angst entgegen.

»Wie war ich?« fragte sie. »Wie habe ich mich gehalten? War ich gut?«

»Sehr gut«, flüsterte Nob und blickte zu den anderen auf. »Sehr gut, Lindwurm. Und jetzt komm mit mir unter den Tisch zurück!«

»Ich habe Wache gehalten!« schrie die Schlange. Nob führte sie zum Stuhl hinüber und setzte sich auf den Fußboden, während sie sich um die Tischbeine legte. Sie hörte seinen Lobesbeteuerungen eifrig zu. »Ich habe Wache gehalten!« erklärte sie ihm.

»Vielleicht geht er bald fort«, murmelte Needle Stout zu, aber der Zwerg schüttelte nur den Kopf und setzte sich schwerfällig neben das ausgebrannte Feuer.

Nach der Nacht auf der Wiese begann Twelve allein mit ihrem Hund lange Streifzüge in den Wald zu unternehmen. Das Hexenbalg stand am Morgen auf und weckte Hopeless, der nur schwer und widerstrebend zu sich kam. Dann brachen sie auf, und die anderen sahen sie erst am späten Nachmittag wieder, als der Hunger sie nach Hause trieb. Der Elf schaute ihr mit verwunderter Miene nach.

»Sie setzt sich da allerhand Dinge in den Kopf«, sagte er eines Morgens zu Stout. Der Zwerg saß am Tisch und las, sein Kopf war in blauen Rauch gehüllt. Nob saß am Feuer und fütterte den Lindwurm mit Brotstückchen.

»Ach, sie ist doch noch ein Kind«, meinte der Zwerg und blätterte eine Seite um.

»Trotzdem, sie hat irgend etwas vor.«

»Sie kann sich an mehr erinnern als wir«, antwortete Stout.

»Bitte etwas zu essen«, verlangte eine kalte Stimme. Der Lindwurm sperrte das Maul weit auf.

Nob blickte hinunter auf den diamantförmigen grauen Kopf auf seinem Knie und ließ ein Stück Brot in das Maul fallen.

Die große Schlange krümmte den Rücken und schnurrte.

Einige Tage später ging der Lindwurm fort.

»Zeit zum Aufbruch«, sagte er eines Morgens munter, und trotz Nobs Bitten ließ er sich nicht aufhalten. »Zeit zum Aufbruch«, wiederholte er lebhaft und glitt erwartungsvoll durch die offene Tür.

Draußen hielt er inne, hob den Kopf und blickte gespielt grimmig hierhin und dorthin. Das Auge glühte blind im Morgensonnenlicht. »Ach ja«, zischte er vor sich hin, »ach ja, mal sehen ... welche Richtung? ... vielleicht am besten *dorthin* ... nein, nein, nein, vielleicht sollte ich ... *hmmmmmmm* ...« Und er summte und zischte weiter, während der stumpfe Kopf hin und her zuckte.

»Oh, Lindwurm«, rief der Junge, »du kennst wohl nicht einmal den Weg zurück, wie?«

»Was?« antwortete das Reptil erzürnt. »Ich soll den Weg zu meinem Berg nicht kennen?« Damit senkte es den Kopf und spähte zweifelnd umher. »Wie kannst du es wagen, mir Fragen zu stellen, Sterblicher?« zischte es und blinzelte in die Bäume hinauf. Es hatte keine Ahnung, wohin es gehen sollte.

Needle und Stout tauchten neben ihnen auf. »So, so, Lindwurm, Zeit zum Aufbruch, was?« fragte der Elf jovial. »Brauchst du Hilfe? Der Fluß liegt in dieser Richtung«, sagte er und zeigte mit der Hand hin.

»Wenn du ihn gefunden hast, brauchst du ihm nur so lange stromaufwärts zu folgen, bis er sich verbreitert, dort ist ein Tümpel. Ich kann mir denken, daß dein Berg den ganzen Winter über auf dich gewartet hat.«

»Aber natürlich«, antwortete die Schlange gekränkt. »Nun, Zeit zum Aufbruch!« rief sie noch einmal und schickte sich an davonzugleiten.

Stout packte ihren Unterkiefer und drehte den Kopf zu sich heran. »Mester Lindwurm«, sagte er und blickte tief in die erschrockenen Augen, »zum Abschied habe ich nur noch einen Wunsch: daß uns nämlich im nächsten Winter das Vergnügen deiner Gesellschaft erspart bleibt. Hast du mich verstanden?«

»Paß gut auf dich auf, Lindwurm!« fügte Needle hinzu, und das Reptil sah ihn und den Zwerg an und nickte.

»Danke«, fiel es ihm noch ein, dann schrie es: »Lebt wohl!«, ließ den Kopf auf den Boden fallen und glitt in weiten grauen Bögen durch das Gras. Dabei murmelte und zischte es ständig vor sich hin. Zuerst prallte es mit voller Wucht gegen einen Baum, dann korrigierte es seinen Kurs und kroch ins Dickicht. Der Junge sah ihm nach. Als es verschwunden war, drehte er sich wortlos um und hinkte langsam in die Hütte zurück.

Und so ging es immer tiefer in den Frühling hinein. Der Wald wurde üppig grün, die Tiere wurden fett und zufrieden. Unter den Gnomen gab es Kämpfe um das Essen; bei den Stachelschweinen und den Vögeln brach ein hektisches Nestbauen und Zweigesammeln aus. Die Raben spielten ihnen Streiche, böse Streiche, Kieselsteine wurden von oben auf ahnungslose Köpfe geworfen, Nahrungsmittelvorräte gestohlen, kleine Tiere erschreckt. Kays Truppen waren ausgeschickt worden, um die Reimer zu finden, und hatten aus Gehässigkeit nichts gemeldet: Kay wußte, daß mehrere Reimertruppen in Städten nahe des Waldes Vorstellungen gaben. Er schielte Needle mit einem Onyxauge an, gluckste vor sich hin und hob in einem übertriebenen Achselzucken die Flügel.

»Nichts Neues«, sagte er. »Nichts Neues!« Und dann flog er mit kreischendem Gelächter davon.

Und der Frühling ging über in ein tiefes Jadegrün, und im Gras stritten die Gnome miteinander.

Dann kamen die Jäger zurück.

Eines Nachmittags ging alles so schnell, daß der Wald keine Zeit hatte, sich darauf einzustellen. Das erste, was Needle bemerkte, war ein dunkler Klumpen am Himmel, der rasend schnell auf ihn zustrebte. Als er näher kam, löste er sich in einen Schwarm von Raben auf.

»Jäger!« kreischte Kay heiser. »Jäger! Kommt schnell, kommt schnell!«

Sie schossen vorbei. Needle drehte sich um, rannte in die Hütte und schrie: »Die Jäger! Schnell! Wir müssen etwas unternehmen! Wir müssen sie aufhalten!«

»Oh, wir hätten es wissen müssen!« rief der Zwerg. »Wir hätten es wissen müssen! Natürlich kommen sie zurück! Was sind wir doch für Narren!«

Sie sammelten alles ein, was als Waffe zu gebrauchen war – Messer, die Axt, Stouts Wanderstab –, und rannten, gefolgt von Twelve und Nob, aus der Hütte.

Needle blickte sich um, bevor er zwischen den Bäumen verschwand. »Nein!« schrie er und winkte die beiden zurück. »Nein! Bleibt hier! Bewacht das Haus!«

Nob und Twelve sahen sich an. Die Hexe rang die Hände. Ihre Augen waren sehr groß. »Was sollen wir tun?« flüsterte sie. »Was sollen wir tun?«

»Komm ins Haus zurück!« sagte Nob.

Sie gingen hinein, schlossen die Tür und rückten den Tisch davor. Dann setzten sie sich und sahen sich an. Es gab nichts zu sagen. Aus der Ferne hörten sie Schreie und Pfiffe in den Bäumen. Reglos wie Schildkröten saßen sie da und warteten. Neben ihnen kratzte sich Hopeless und brummte im Schlaf.

Wo die Jäger auch ritten, stets schienen die Pfade in Windungen zu verlaufen und unvermittelt im Nichts zu enden. Fluchend zügelten sie die Pferde, rissen sie herum und stürmten in eine andere Richtung. Wohin sie sich auch wandten, überall versperrten ihnen Unterholz, Baumstämme oder eine dicke Ulme oder Eiche den Weg.

Früher, als der Wald noch mächtig war, waren stets die Jäger die Vorsichtigen gewesen, aber inzwischen waren die Menschen Jahr für Jahr mutiger geworden und hatten sich tiefer in die Wälder hineingewagt. Jetzt war es der Wald, der Angst hatte. Die Jäger wußten, daß sie ein Einhorn angeschossen hatten, aber als es stürzte, war es verschwunden, und sie waren entschlossen, ein anderes zu finden. So galoppierten sie hierhin und dorthin und schossen mit ihren Pfeilen auf alles, was sich bewegte.

Vor ihnen rannten die Waldbewohner um ihr Leben. Die Wassernymphen verschwanden unter der Oberfläche des Baches und ließen sich dort treiben, von ihrem Haar wie von smaragdfarbenen Pflanzen umgeben. Die Gnome kamen unter der Erde hervor und drohten den Jägern mit zornigen Gesten, aber als einer der Männer sein Pferd zügelte, zurückgeritten kam und schrie: »He da! He! Kommt her, in diesem Gebüsch ist etwas!«, da bekamen es die Wesen mit der Angst zu tun, schlurften hastig in ihre Höhlen zurück, kauerten sich dort zitternd zusammen, schlossen die Augen und beteten. Über ihnen galoppierten die Pferde, das Geräusch ihrer Hufe donnerte durch die Erde. Bei einigen Höhlen brach die Decke ein, die Gnome wurden begraben und erstickten im Schmutz.

Granny Weil hörte das Geschrei und das Hufgetrappel, vielleicht hörte sie sogar die stummen Gebete der Gnome, aber sie unternahm nichts. Sie wagte sich nicht aus ihrer Höhle heraus, sondern saß im Herzen des Schneckenhauses, schürte das Feuer, murmelte vor sich hin und machte mit den Händen Zeichen in die Luft. Der alte Hund schlief neben ihr auf dem Boden.

Die Jäger scheuchten ein Kaninchen aus seinem Loch und jagten ihm einen Pfeil durch die Kehle.

Sie trampelten über einen Dachsbau, drückten ihn ein, und als der Dachs zitternd herausgekrochen kam und davonlaufen wollte, ritten sie über ihn hinweg und zermalmten ihn.

Sie jagten einen Fuchs, der bebend, mit Schaum vor dem Maul, hakenschlagend zwischen den Bäumen hindurchflitzte und ihnen so lange entging, bis er mit einem Bein in einem Loch hängenblieb. Er blickte sie ernst an, als sie ihn töteten.

In die Nähe des Jeinhorns kamen sie nicht. Wolly hatte es sicher in einer Höhle versteckt.

Allmählich wurde es spät. Die Schatten krochen über das Gras. Die Jäger hielten an und bildeten einen Kreis. Es war Zeit, den Wald zu verlassen. Welcher Weg führte hinaus?

Die Sonne stand tief am Himmel, das kalte Licht glitt durch die Bäume. Die Jäger blickten sich unruhig um.

In diesem Augenblick wurden sie von Needle, Rasp und Stout entdeckt.

Die drei waren stundenlang zwischen den Bäumen dahingestolpert und hatten eine Gruppe von Zwergen, Kobolden und Wölfen um sich versammelt, ehe sie die Jäger einholten. Needle ging als erster zum Angriff über. Er marschierte schnurstracks auf die Jäger zu und schwenkte ein Küchenmesser.

»Ich werde euch *töten!*« rief er. Er hatte miterlebt, wie das Kaninchen getötet wurde. Es hatte ihn durch die Bäume hindurch angesehen. »Ich werde euch *töten,* euch alle!«

Die Jäger blickten auf. Es dämmerte, und alles, was sie durch den leichten Nebel sehen konnten, war eine große spindeldürre Gestalt, die mit wild zappelnden Gliedern, ein Messer in der Hand, auf sie zukam.

»Ich werde euch *töten!*« kreischte Needle.

Die Jäger zögerten verwirrt. Dann wendeten sie ihre Pferde und flüchteten. Unter den fliegenden Hufen huschten kleine Wesen mit, stachen die Pferde mit Messern und schlugen ihnen mit Stöcken gegen die Flanken. Die Jäger schrien und spornten ihre Tiere an.

Sie jagten durch die Bäume und ließen die Quälgeister weit hinter sich zurück. Die Wege führten sie nicht länger in die Irre, sondern brachten sie direkt an den Waldrand, wo die Bäume einen Torbogen gebildet hatten.

Der Jäger an der Spitze winkte die anderen weiter. Sie donnerten durch die Öffnung aus Blättern und Ästen aus dem Wald hinaus, und ihre Stimmen verklangen in der zunehmenden Dunkelheit.

NEUN

ALS NEEDLE NACH HAUSE KAM, nachdem er viele Stunden lang durch den Wald gestapft war und über seine eigenen Füße gestolpert war, legte er den Kopf auf den Tisch und weinte wie ein Kind.

Twelve und Nob standen hilflos daneben. Stout erklärte in kurzen Worten, was geschehen war, dann brachten er und Rasp ihren Freund zu Bett, setzten sich nach draußen, und der Zwerg ließ seinen Tabakrauch in blassen Fragezeichen zum Himmel aufsteigen.

Am nächsten Morgen öffnete Stout die Tür und fand eine Gruppe von Gnomen vor der Hütte. Es waren etwa zwanzig oder dreißig. Jeder hatte einen dicken Stock und eine Axt in der Hand. Sie blinzelten den Zwerg an, und auf ein Zeichen hin hoben sie ihre Waffen und trompeteten.

Der Anführer trat vor. »Seid gegrüßt«, sagte er. »Wir kommen. Wir kommen, um zu kämpfen, ja? Ja? Wenn die Jäger zurückkehren, werden wir sie töten. Wir schlagen sie mit unseren Stöcken. Ja? Ja?«

Needle versetzte Stout einen Stoß, und der gab ihn weiter an Rasp.

»Meine Freunde«, sagte Rasp und trat vor, »meine Freunde, es wird zurecht gesagt, daß die Gnome ein mächtiges und kühnes Volk sind. Viele Mären habe ich gesungen über eure flinken Hände und eure Schlauheit, doch ich habe euch noch nicht gepriesen. So nehmt denn unsere Dankbarkeit zur Kenntnis und fühlt euch wie zu Hause in dieser elenden Hütte ...«

»*Nein*«, flüsterte Needle von hinten.

»... und im umliegenden Gelände«, fügte Rasp hastig hinzu, »während wir auf die Schlacht warten und uns darauf vorbereiten. Denn es wird zurecht gesagt, daß Herzen, die sich im Kampf vereinen, das süßeste Lied singen, und daß jene, die unter der Erde leben, wacker auf ihr kämpfen, und in der Tat ...«

»*Das reicht*«, flüsterte Needle.

»Daher danken wir euch«, schloß Rasp, »und heißen euch hier willkommen.«

Die Gnome krächzten begeistert.

»Wir sind gekommen!« wiederholte der Anführer. Die ganze Gesellschaft ließ sich auf der Lichtung nieder und verzehrte ihr Mittagsmahl: halb abgenagte Knochen, rohe Kohlblätter und ein scharfes, aus reifen Prickelbeeren hergestelltes Getränk.

Es war spät am Nachmittag. Die Gnome waren, kreuz und quer im Gras liegend, eingeschlafen. Die Luft färbte sich purpurn, als die Dunkelheit hereinbrach. Bald summten Schwärme von Glühwürmchen und anderen Insekten um die Köpfe der Gnome. Die Wesen regten sich, schlugen um sich und setzten sich schlaftrunken auf. Als sie ihre Gefährten erblickten, trompeteten sie sich zur Begrüßung fröhlich zu. Dann rappelten sie sich auf und begannen sich Gedanken über das Abendessen zu machen. Eine Horde kleiner Fledermäuse purzelte durch die Luft. Die Gnome grinsten, und ein paar von ihnen kletterten auf die Bäume und warteten dort auf ihre Beute. Sie kauerten reglos auf den Ästen, und wenn eines der Tiere mit den gezackten Flügeln vorüberschoß, zuckte eine dicke Hand nach vorn ... *und fing es aus der Luft*. Die Gnome waren sonst in jeder Hinsicht dumm, langsam und gutmütig, aber bei der Fledermausjagd zeigten sie sich flink und unbarmherzig. Sie warfen ihren Fang hinunter in die wartenden Hände. Bald war die Lichtung von fröhlichem Schmatzen und Knochenknacken erfüllt.

Die Gnome waren auch ritterlich. Sie hätten die Fledermäuse in ihre Höhlen verfolgen und sie zu Tausenden vernichten können, während sie kopfunter beim Mittagsschlaf von der Decke hingen, aber das taten sie niemals, wenn sie nicht gerade am Verhungern waren. Sie zogen die Jagd, den schnellen Griff aus der Luft, der langweiligen, wenn auch praktischeren Methode vor, die Beute wie Sahne von Höhlendecken zu streifen. Wenn sie sich ihr Essen aus der Luft schnappten, glucksten sie in düsterem Entzücken vor sich hin.

Nob saß an der Tür und sah ihnen zu. Plötzlich begannen die Bäume zu flüstern und mit raschelnden Blättern eine Nachricht weiterzuleiten. Die Gnome drehten sich um und lauschten. Der Junge stand auf.

»Da kommt jemand!« rief Rasp.

Die Gnome trompeteten, zerstreuten sich unvermittelt und flüchteten über das Gras. Nob sah etwas Großes durch die Dunkelheit heranstolpern.

Als es näher kam, hörten sie auch eine Stimme. »Hier sind wir«, sagte jemand nervös. »Hier sind wir, nicht wahr? Ja, wirklich, mein Schätzchen, wir sind fast da. Ja, so ist es.«

Needle beugte sich vor und brach in Gelächter aus. »Das ist ja Wolly mit dem Jeinhorn!« schrie er und lief ihnen entgegen.

»Es war Wollys Idee«, sagte das Jeinhorn gerade, als die drei herankamen. »Er hat darüber nachgedacht und dann entschieden, daß wir kommen sollten.«

»Konnte nicht länger warten«, schaltete sich Wolly ein und zerknüllte seine Mütze zwischen den Händen. »Was ist, wenn sie wiederkommen und wir nicht wissen, was wir tun sollen?«

Needle führte die beiden über die Lichtung, wo Rasp und Nob sich ihnen anschlossen. An der Tür zur Hütte blieben sie alle stehen. Das Jeinhorn paßte unmöglich hinein.

»Dann müssen wir die Nacht eben hier draußen verbringen«, sagte Wolly und blickte sich ängstlich um. »Es wird nichts passieren, keine Sorge. Nur keine Sorge. Verstehst du? Es wird gar nichts passieren.«

»Wir könnten dir drinnen eine Schlafmatte anbieten, Wolly«, sagte Needle.

»O nein, nein, danke«, lehnte der Alte ab. »Nein, ich bleibe mit dem Jeinhorn hier draußen, kein Problem, überhaupt kein Problem. Nicht wahr? Überhaupt kein Problem, versteht ihr, wir bleiben einfach hier.«

»Du könntest wenigstens hereinkommen und mit uns eine Tasse Tee trinken, ehe du dich schlafen legst«, sagte Rasp.

Dieser Vorschlag rief eine lange Reihe von Protesten hervor, aber schließlich ließ sich der Alte doch überreden. Das Jeinhorn legte sich neben die offene Tür in den Lichtstreifen, der aus dem Raum fiel, und war alsbald von freundlichen Gnomen umringt.

Das Jeinhorn sah sie neugierig an und lächelte vor sich hin. »Ihr seid also hergekommen, um zu kämpfen?« fragte es.

Die Gnome trompeteten und hoben ihre Stöcke.

»Das ist sehr mutig von euch«, sagte das Jeinhorn.

Die Gnome blickten sich ein wenig unsicher an.

»Und du, eh, mein Herr?« fragte der Anführer und

Zwischendurch: ███████████████████████████

██
██
██
██
█████████████████████████████████
██
██
████████████████████████████████████
██
██
████████████████████████████
██
█████████████████████████ Die Gnomen haben
reiche Jagdbeute gemacht, die allen Beteiligten ein wahres
Festmahl ermöglicht. ████████████████████████████

██
██
██
██
█████████████████████████████████
██
██
██

██████████████████████ Nun kann eine Jagd sicherlich
ein aufregendes Abenteuer sein, doch gibt es heute schnellere
und einfachere Möglichkeiten, etwas Herzhaftes zu genießen.
Zumal, wenn uns der Sinn eher nach etwas Warmem für den
kleinen Appetit steht als nach einer kalorienreichen schweren
Mahlzeit: Dann genügen schon heißes Wasser, fünf Minuten
Geduld und... ██████████████████████████████
██
████████████████████████████████████

Zwischendurch:

Die kleine, warme Mahlzeit in der Eßterrine. Nur Deckel auf, Heißwasser drauf, umrühren, kurz ziehen lassen und genießen.

Die 5 Minuten Terrine gibt's in vielen leckeren Sorten – guten Appetit!

hockte sich vor dem Rumpf des Jeinhorns auf den Boden, und das Jeinhorn schnüffelte und nahm die Nachtgerüche und die Ausdünstungen der ungewaschenen Gnome in sich auf.

»Ach, ich bin kein Kämpfer«, sagte es. »Wolly dachte, wir sollten versuchen, etwas zu unternehmen, falls die Jäger wiederkämen. Wir sind hier, um festzustellen, was wir unternehmen wollen.«

Ein unbehagliches Schweigen trat ein. Die Fragen waren erschöpft.

»Hattet ihr heute eine gute Jagd?« erkundigte sich das Jeinhorn höflich.

Erleichtert stürzte sich der Kreis der Gnome in einen begeisterten Bericht über die abendliche Jagd, die in der Tat mehr als zufriedenstellend gewesen war und ein absolut überwältigendes Festmahl für alle Beteiligten zur Folge gehabt hatte.

Das Jeinhorn nickte und spitzte die Ohren.

In der Hütte saßen Wolly und die anderen im Halbkreis vor der kalten Feuerstelle.

»Wir versuchen es jetzt«, sagte Needle.

»Laßt mich anfangen!« drängte Twelve eifrig.

»Benimm dich«, antwortete Needle, »bitte, benimm dich, Twelve! Wolly macht den Anfang.«

»O nein . . .«, begann Wolly. »Wirklich, das kann ich nicht, o nein, ich kann doch nicht . . .«

»Komm schon, Wolly!« ermunterte ihn Needle. »Du hast es doch auf der Wiese schon einmal geschafft, und du kannst es auch noch einmal.«

»Nein, wirklich«, flehte Wolly. »Ich – ich glaube nicht, daß ich . . . ich kann mich nicht erinnern . . .«

»Wolly«, mahnte Rasp. »Wir warten.«

Der alte Mann wandte sich seufzend den Scheiten in der Feuerstelle zu. Keine Flammenzunge belohnte seine Anstrengungen.

Einen Augenblick später lehnte er sich zurück und schüttelte den Kopf. »Nein«, sagte er. »Ich wußte es. Ich wußte es, nicht wahr? Ich habe es euch gleich gesagt. Ich habe gesagt, ich kann es nicht.«

Needle und Rasp blickten sich an. Rasp beugte sich vor und faßte nach einer von Wollys blaugeäderten Händen.

»Wolly«, sagte er, »wenn ich dir eine Mär über die alten Zeiten erzähle, über dich und das Jeinhorn, würde dir das helfen?«

»O nein«, stammelte Wolly verzagt. »O nein, bitte nicht ...!«

»Bestimmt nicht?«

Wolly schüttelte den Kopf. »Bitte«, sagte er schwer atmend, »bitte nicht. Ich versuche es noch einmal.« Er wandte sich wieder der Feuerstelle zu, legte die Stirn in Falten und starrte die Scheite an.

Minuten vergingen. Endlich lehnte sich der alte Mann ächzend zurück, und eine Träne lief ihm über die Wange. Er sah Rasp an. »Es tut mir leid«, sagte er. »Ich kann es nicht. Ich kann es einfach nicht.«

»Schon gut, Wolly«, beruhigte ihn Needle. »Du kannst es später noch einmal versuchen, wenn du willst. Stout?«

Der Zwerg legte seine Pfeife weg und blickte geistesabwesend in die Ferne. Sein Volk verstand sich ziemlich gut auf Feuer und Rauch, aber Needle und Twelve hatten kaum jemals erlebt, daß Stout einen Zauber wirkte.

Der Zwerg setzte die Pfeife an die Lippen und paffte

zweimal. Eine blaue Rauchblume schwebte aus dem Pfeifenkopf und trieb über ihn dahin. Stout winkte mit der Hand, und die Blütenblätter begannen sich nacheinander zu entfalten. Das Herz der Blüte war dunkelgrau. Sie hing eine Sekunde lang vor ihren Augen, dann verwandelte sie sich in eine Rauchwolke und wurde durch die Tür hinausgetragen.

»Nun?« fragte Stout.

»Sehr hübsch«, sagte der Elf. »Wirklich sehr hübsch. Aber wir brauchen etwas, um sie abzuschrecken, Stout. Hast du nichts, was ein bißchen ... beängstigender wäre?«

Der Zwerg betrachtete zweifelnd seine Pfeife. Dann paffte er einmal, zweimal, dreimal, und ein Kobold kroch aus dem Pfeifenkopf, überlebensgroß, mit rotglühenden Augen und mit Fingern, die in die Luft scharrten. Die Gestalt stand einen Augenblick lang schwankend da, dann drehte sie sich blitzschnell um und fuhr geradewegs auf Nob los.

Der Junge schrie. Das Wesen erstarrte mit ausgestreckten Klauen in der Luft und verschwand mit einem leisen Heulen.

»Entschuldige bitte«, sagte Stout. »Manchmal ist es schwer zu beherrschen.«

»Das war sehr gut«, sagte Rasp.

»Twelve?« meinte Needle. »Jetzt bist du an der Reihe.«

Das Hexenkind grinste. Einen Augenblick lang sah Twelve Granny Weil erschreckend ähnlich. »Paßt auf!« sagte sie.

Sie hatte eine Hand auf den Kopf des Hundes gelegt. Jetzt zeichnete sie mit der freien Hand schnell einige Figuren in die Luft.

Nichts geschah. Sie runzelte die Stirn und versuchte es noch einmal. Dann blickte sie zu Hopeless hinunter. »Es ist nicht so einfach«, sagte sie. Sie tätschelte den Hund und sprach sanft auf ihn ein. »Komm schon, Hopeless! Du kannst es. Wir haben es doch neulich erst versucht, weißt du noch?«

Wieder zeichnete sie die Figuren in die Luft. Dann erzitterte sie von Kopf bis Fuß. Sie und der Hund zitterten gemeinsam, und dann wurde es schwarz im Raum, weil die Kerzen erloschen.

Sie konnten Twelve murmeln hören.

»Das ist die alte Magie«, hörte Nob Stout flüstern.

»Laß das, Twelve!« sagte Needle plötzlich. »Mit so etwas spielt man nicht.«

»Ach, wirklich nicht?« schrie die Hexe. »Tatsächlich? Nun paß mal auf!« Sie lachte und schnippte mit den Fingern.

Auf dem Boden erschien ein Lichtfleck, der immer größer wurde.

»O nein!« schrie Rasp. Sein Stuhl knirschte auf dem Fußboden, als er ihn zurückschob.

»Ich wußte es«, sagte Wolly. »Ich wußte es ... nicht wahr? Ich wußte, was sie tun würde. Hätte niemals herkommen sollen ... niemals, niemals, *niemals!*«

»Twelve!« rief Needle. Aber es war schon zu spät.

Das Licht wurde größer und begann zu flackern. In seinem Zentrum konnte Nob etwas Dunkles erkennen, etwas Dunkles, das sich drehte und wand und die Gestalt veränderte: Zuerst war es ein Drache, klein wie eine Echse, mit einem Maul, das wie eine Kohle glühte; dann eine Katze, größer schon, mit geschlitzten gelben Augen; ein Skorpion, noch größer, der Stachel am Ende seines Schwanzes leuchtendrot; schließlich ein

Löwe. Der Löwe wandte sich ab, und als er sich wieder umdrehte, hatte er den Kopf eines Menschen, und der Schwanz war verschwunden. Statt dessen befand sich dort der lange gegliederte Schwanz des Skorpions mit dem blinkenden Stachel.

Wolly stöhnte leise.

»Nein«, sagte er schwach und versuchte den Anblick wegzuwischen.

»Twelve ...«, sagte Needle. Er wollte aufstehen, war aber auf seinem Stuhl wie festgewachsen. »Twelve!«

»Bewegt euch nicht!« befahl die Hexe. »Keiner von euch. Die Mantichora spricht ...«

Jedem der Anwesenden schien es, als spräche das Wesen nur zu ihm allein. Nob hörte es sagen: »*Du gehörst nirgendwo hin ... nirgendwo.*«

Der Zwerg hörte immer und immer wieder wie in einem Kinderreim: »*Der Streit mit deinem Volk wird niemals beigelegt.*«

Wolly, der sich in seinem Stuhl ganz klein machte, vernahm: »*Allein ... für immer allein.*«

»Nein!« keuchte er, aber die Mantichora lächelte nur und nickte.

Rasp war wie erstarrt, er hörte: »*Keine Worte, keine Worte mehr. Schweigen.*« Der Märenerzähler senkte den Kopf.

Neben ihm saß steif und schweigend der Elf. Er hatte nichts gehört. Die Mantichora sah nur mit merkwürdigen, drohenden Augen auf ihn herab.

Twelve machte eine kurze Handbewegung und murmelte ein Wort.

Die Erscheinung wandte sich ab. Der Kreis, der sie einschloß, wurde heller. Sie haftete am Boden, zerfloß zu einem Flecken, zu einem leuchtenden Punkt. Alle sahen zu, wie sie verblaßte. Plötzlich war sie verschwunden, und die Kerzen flammten wieder auf.

Needle hob den Kopf. »Niemals wieder«, sagte er zu Twelve. Die Hexe duckte sich in ihrem Stuhl. »Niemals wieder, hörst du?« Und dann sprang er mit einem Satz nach vorn und gab ihr eine Ohrfeige.

Twelve klammerte sich an ihn. »Was habe ich getan?« schluchzte sie. »Was habe ich getan?«

»Das war die alte Magie«, sagte Stout zu Needle. »Wer hätte gedacht, daß sie dazu fähig ist?«

Der Elf blickte auf das Mädchen hinunter. Seine Lippen waren schmal und trocken. »*Niemals wieder!*« sagte er.

ZEHN

AM NÄCHSTEN MORGEN nach dem Frühstück machte sich Twelve davon und setzte sich unter eine Silberbirke am Rand der Lichtung, Hopeless rollte sich neben ihr zusammen. Die Gnome trompeteten ihr zu und wollten ein Gespräch anfangen, aber als sie ihren Blick sahen, wichen sie erschrocken zurück. So saß sie den ganzen Morgen über, die Faust in das struppige Fell des Hundes gekrampft. Needle und Stout beobachteten sie von der Tür aus.

»Es ist wegen gestern abend«, sagte der Zwerg. »Sie begreift es nicht, Needle.«

»Sie ist noch ein Kind«, sagte Needle. »Ich will nicht, daß sie jeden Zauber ausprobiert, der ihr in die Finger kommt.«

Er ging über die Lichtung, rief Wolly und dem Jeinhorn einen Gruß zu, und die Gnome stoben vor ihm nach allen Seiten auseinander. Sie versuchten ihn anzusprechen, denn sie waren sehr erpicht auf Gesellschaft, aber er beachtete sie nicht, sondern strebte geradewegs auf die Birke zu.

»Twelve«, sagte er.

Die Hexe sah nicht auf. Ihre Augen waren auf Hopeless gerichtete, der schlummernd im Gras lag. Das olivbraune Haar hüllte sie völlig ein, und ihr Gesicht war verschlossen: verschlossen und verriegelt wie eine Tür.

Der Elf setzte sich. »Twelve«, sagte er, »sprich mit mir!«

Die Hexe streichelte den Rücken des Hundes.

»Alle, die dich hätten unterrichten können, sind fort, Twelve. Du hast nur noch Stout und mich.«

»Ich werde nicht aufhören«, sagte sie.

»Bitte, Twelve! Nur die gefährlichen Zaubersprüche.«

»Glaubst du etwa, ich kann mir das *aussuchen?* Glaubst du, ich kann *beschließen,* mich nur an dieses oder jenes zu erinnern?«

»Du kannst wählen, welche du ausführst, Twelve.«

»Ihr glaubt, ich tue es für mich, nicht wahr? Ihr glaubt, ich übe mich nur zu meinem Vergnügen im Zaubern. Nun, da täuscht ihr euch alle. Keiner von euch weiß Bescheid. Keiner hat erraten, warum ich es wirklich tue.«

Ihre Augen ruhten auf der reglosen Gestalt neben ihr. Hopeless lag auf der Seite und schnarchte. Von der Lichtung her waren das Gemurmel der Gnome und das dumpfe Knacken und Knirschen tagealter Knochen zu vernehmen.

Der Elf betrachtete den Hund, dann sah er wieder das Hexenkind an, es hatte das Gesicht abgewandt und versteckte sich hinter den langen Haaren.

»Es ist wegen Hopeless«, sagte sie leise. »Wegen Hopeless! Ihr seid alle miteinander blind ... ihr versteht *gar nichts.* Seht ihr denn nicht, was geschieht? Er schläft immer mehr ... zu jeder Tages- und Nachtzeit ... und ich kann anscheinend nichts dagegen tun. Es ist genauso wie mit dem Hund von Granny Weil. Er hat es mir eines Nachmittags erklärt, als ich versuchte, ihn aufzuwecken. Er sagte, er werde von Tag zu Tag müder. Er kann es nicht ändern, sagt er. Deshalb dachte ich mir, wenn wir Zaubern üben, nur wir beide, würde er sich mit mir zusammen allmählich wieder erinnern, und dann würde er aufwachen, und alles wäre in Ordnung. Es – es ist das einzige, was ihn zu interessieren scheint. Wenn er mir nicht beim Zaubern hilft, döst er wieder ein. Das kann ich nicht zulassen.«

»Ich verstehe«, sagte der Elf.

»Und jetzt verlangst du, daß ich damit aufhöre. Nun, was – was, glaubst du, wird dann mit *ihm* geschehen?«

»Twelve, es tut mir leid. Ich habe das nicht begriffen. Laß mich eine Weile darüber nachdenken.«

»Dann geh und denk nach!« fuhr ihn das Mädchen an. »Geh und denk nach! Ich versuche mich gerade zu erinnern, wie man eine Todesfee ruft.«

An diesem Abend versammelten sie sich um den Tisch, und Needle versuchte es mit seinen Zauberkünsten.

Er hatte Angst und war auch nicht so recht bereit dazu. Er schaffte nur jeweils die Hälfte eines Zauberspruchs, dann hielt er seufzend inne und schüttelte den Kopf.

»Fang doch mit etwas ganz Einfachem an«, schlug der Zwerg vor. »Kannst du etwas mit Rauch machen?«

»Oder beschwöre etwas Schauriges herauf!« drängte Twelve. »Komm, Needle, das kannst du doch!«

»Ach, laßt mich in Ruhe!« brauste der Elf auf, legte die Hand vor die Augen und saß einen Augenblick lang reglos da. Dann begann er zu sprechen.

Es waren Worte aus einer fremden Sprache. Auf dem Boden bildete sich ein Nebel und nahm die Gestalt einer Frau an, aschgrau, mit wallendem Haar und einem langen grauen Gewand. Hochgewachsen, furchterregend lächelte sie auf die Versammlung herab. Im Raum wurde es plötzlich kalt, kälter als im strengsten Winter, und es begann zu schneien. Neben Twelve zitterte Hopeless erbärmlich, er war halb in einer Schneewehe vergraben.

Die Frau wandte sich Needle zu und sah auf ihn herab. »*Ja?*« fragte sie. Ihre Stimme klang hochmütig und rein: die Stimme einer Königin.

Needle blickte mit geöffneten Lippen wie erstarrt zu ihr auf. Der Schnee hatte auf seinem Haar eine weiche Haube gebildet.

Die Frau warf den Kopf zurück. »*Ja?*« fragte sie wieder.

Keuchend rüttelte Stout Needle an der Schulter.

»Needle!« flüsterte er. »Needle!«

»*Dafür könnte ich dich töten*«, verkündete die Frau mit ihrer herrlichen Stimme.

»*Needle!*«

Der Elf blinzelte und brachte mit großer Anstrengung ein paar gemurmelte Worte über die geschwollenen Lippen.

»*Hast du mich umsonst gestört?*« wollte die Frau wissen, aber noch während sie sprach, begann ihre Gestalt sich aufzulösen und verschwand. Es hörte auf zu schneien.

Im Raum war es so warm und trocken wie zuvor.

»Die Zauberin Ribble«, flüsterte Twelve.

»Schön«, murmelte Needle. »Sie ist wunderschön!«

Rasp schüttelte den Kopf. Er blickte hinüber zu dem alten Zauberer, der sich in seinem Stuhl ganz klein machte. »Wolly?«

»Ja, nun«, sagte Wolly, »wißt ihr, wir haben es den ganzen Tag versucht, das Jeinhorn und ich, aber ohne Erfolg. Ganz ohne Erfolg, versteht ihr. Es tut mir leid.«

»Nein, Wolly«, sagte Rasp. »Heute abend mußt du dir mehr Mühe geben.«

»Aber«, stammelte er, »ich versuche es doch schon den ganzen Tag ...«

»Nur noch einmal. Komm schon, Wolly! Möchtest du denn das Jeinhorn nicht beschützen, wenn die Jäger wiederkommen?«

»O doch, ja!« schrie Wolly. Er wandte sich der Feuerstelle zu. Schweißperlen traten ihm auf die Stirn und liefen ihm an der langen Nase hinunter. Schließlich lehnte er sich schweratmend zurück.

»Seht ihr«, sagte er, »da habt ihr es. So ist das eben. Es gelingt einfach nicht, ich kann es nicht, es lohnt sich nicht, es noch einmal zu versuchen. Ist schon Schlafenszeit?« fügte er hoffnungsvoll hinzu.

»Wolly«, sagte Stout, »wir brauchen dich. Ich weiß, du kannst es, wenn du dich wirklich bemühst. Rasp?«

»Ich werde dir eine Mär erzählen, Wolly«, sagte Rasp.

»Nein«, sagte Wolly. »Nein, bitte, bitte nicht.«

»Gestern abend wolltest du es nicht«, sagte Rasp, »aber heute abend wirst du mir zuhören, wenn das Jeinhorn einverstanden ist.« Er wandte sich zur Tür und rief: »Kannst du uns hören, Jeinhorn?«

»Ja«, antwortete das Wesen, und sein Körper schob sich ein Stück durch die Türöffnung.

»Was meinst du, soll ich meine Mär erzählen oder nicht?«

Schweigen. Dann sagte das Jeinhorn: »Ich muß mit Wolly sprechen.«

Der alte Mann stand auf und stolperte zur Tür hinaus. Man hörte Stimmengemurmel.

Wolly kam in den Raum zurück, setzte sich wieder auf seinen Stuhl und sah Rasp mit seinen verblichenen blauen Augen an.

»Er sagt, wir sollen zuhören«, flüsterte er.

»Schön«, sagte Rasp. »Also, dann hört zu!«

Ein Zauberer und sein Einhorn liefen tief in das Herz eines großen wilden Waldes hinein, eines Dschungels mit vielen Bäumen und Ranken und flatternden bunten Vögeln. Über ihnen war die Sonne hinter einer Decke aus Blättern und gewölbten dunklen Ästen verborgen, und ringsum wogte ein Meer von riesigen Blumen, in vielen Farben, im Innern zart leuchtend und mit blaßrosafarbenen Adern. Das Einhorn lächelte beim Laufen, der Zauberer neben ihm sprach ein Wort, die Kletterpflanzen teilten sich, und das warme grüne Licht schimmerte wie ein See vor ihnen auf dem Weg. Sie rannten weiter, und hinter den Bäumen versteckten sich die Tiere und beobachteten sie: fremdartige Tiere mit gedrungenem Körper, flachen Schnäbeln und dicken Füßen, Vögel mit spitzen Schnäbeln und wilden klaren Stimmen, und außerdem schnüffelnde dunkle Kobolde, die sie aus großen gelben Augen anstarrten, wenn sie vorüberliefen. Das Horn des Einhorns leuchtete rot und golden, und ringsum war die Luft von kleinen Lichtbovisten, von Funken und Feuerkugeln erfüllt. Sie liefen schon seit Stunden, aber sie wurden nicht müde. Magische Kräfte umschwebten sie und trieben sie weiter. Sie rannten, die Blätter schlossen sich hinter ihnen, und die Tiere versammelten sich, klein, scheu und demütig, um ihnen nachzuschauen.

Wolly lauschte mit schiefgelegtem Kopf. An der Tür, den Kopf über die Schwelle gelegt lauschte auch das Jeinhorn. Nobs Gesicht war wie ein Spiegel, er sog alles in sich ein. Es ging nicht um Wolly, nicht einmal um Wollys Vater oder seinen Großvater, es war schon so lange her. Aber es war die Wahrheit, und sie brachte Wollys Blut in Wallung.

An der Tür streckte das elende Geschöpf, dessen Vorfahren einst Einhörner gewesen waren, einen der plumpen Vorderfüße aus und grunzte.

Das Geräusch schien Wolly in die Wirklichkeit zurückzuholen. »Genug! *Genug!*« schrie er.

Rasp hielt erschrocken inne.

Wolly wandte sich der Feuerstelle zu. Auf eine Handbewegung und ein leises Wort hin ging das Holz in Flammen auf. Der Alte schloß lächelnd die Augen. Die Wärme des Feuers schlug ihnen gegen die Gesichter, und plötzlich schwebten ihnen Lichter rings um die Köpfe, in der Luft funkelte es blau, gelb und grün. Wolly lachte, ein schwächliches, sehr trockenes Geräusch.

»Sprich weiter, Rasp!« befahl er.

Rasp richtete sich auf, die Hände zitterten ihm, aber ehe er zum Sprechen ansetzen konnte, führte eine andere Stimme die Mär fort, Nobs Stimme. Der Junge hatte die Augen geschlossen, und auf seinem Gesicht lag ein Lächeln.

Der Zauberer und das Einhorn standen im Mondschein auf einer Lichtung. Nirgends regte sich etwas. Plötzlich erschienen ringsum in einem großen Kreis die Waldbewohner: Wassernymphe, Kobold, Elf, Gnom, Zwerg, Wolf, Hase, Fuchs, Dachs, Hund, Stachelschwein, Hexe, Katze, Eichhörnchen und alle anderen.

Der Zauberer warf lachend den Kopf in den Nacken. Auch das Einhorn lachte, es klang so frisch und klar wie Wasser, und alle anderen Wesen stimmten ein. Sie begannen zu tanzen. Hüpfend, springend und singend liefen sie über die Lichtung und umringten die beiden Gestalten in der Mitte.

Sie tanzten die ganze Nacht hindurch, während ringsum der Wald sang.

Im Morgengrauen hielten die Wesen inne und blickten hinauf zu den verblassenden Sternen. Sie wandten sich dem Zauberer zu und verneigten sich so tief, daß die Köpfe lange den Boden berührten.

Dann verschwanden sie lautlos, und die beiden Gestalten blieben allein auf der Wiese zurück.

Der Junge öffnete die Augen. Die anderen hatten die Köpfe gesenkt. Wolly umklammerte die Armlehnen seines Stuhls. Nun hob er eine Hand, und da war es, als seien die Wände der Hütte weggefallen, und sie befanden sich mitten auf einer Wiese.

Twelve nahm Nob an der Hand und zog ihn mit Needle und den anderen in einen Kreis. So tanzten sie auf der Wiese herum. Und in der Mitte, vom Mondlicht übergossen, standen der Zauberer und das Jeinhorn. Sie hoben die Gesichter zum Himmel, und Wolly lachte.

AM NÄCHSTEN MORGEN forderte Rasp Nob auf, mit ihm
zu kommen. Sie verließen die Hütte, und Rasp ging
mit dem Jungen hinüber zu einem der Gnome. »Sag
mir, was du siehst!« verlangte er.

Nob blickte hinunter. Dann schloß er die Augen.
»Ich sehe – ich sehe einen unterirdischen Gang. Wie
der von Granny Weil, aber kleiner. Und Würmer ...
die Würmer *singen*. Sie singen für mich. Und ... und
Höhlen ... große Höhlen, wo Fledermäuse von der
Decke hängen ... und wir trinken ... saure Milch ...«
Er riß unvermittelt die Augen auf und schnitt Rasp
eine Grimasse. »*Igitt!*«

Rasp nickte. »Nicht schlecht. Wie ist es mit dem
Baum dort drüben?«

Rasp hörte sich den ganzen restlichen Vormittag
lang Nobs Geschichten an. Als es Mittag wurde und
die Gnome, erwartungsvoll mit den Knöcheln knak-
kend, ihre Kohlblätter hervorholten, sagte Rasp: »Das
genügt erst einmal.« Sie gingen zur Tür der Hütte zurück. »Es besteht kein Zweifel, daß du die Gabe hast.
Dies ist die beste Art, sie zu üben«, sagte Rasp.

»Ich habe auch schon Dinge gesehen, als ich noch
bei meiner Tante war«, sagte der Junge langsam, »aber
ich habe es nie jemandem erzählt.«

Rasp nickte. »Nicht viele Reimer haben das Zweite
Gesicht«, sagte er. »Du wirst eine willkommene Berei-
cherung sein, wenn du zurückgehst.«

Der Junge sah ihn finster an.

Während der nächsten Tage versammelte sich vor der Hütte eine Gruppe von Zwergen zusammen mit einigen Kobolden und ein paar Wassernymphen, die sich zum Aufwachen entschlossen hatten, als der Frühling kam. Wie Wolly und das Jeinhorn wollten sie herausfinden, was sie unternehmen sollten. Die Gnomen begrüßten jeden Neuankömmling mit begeistertem Trompeten, und Needle und Stout gingen hinaus, um sie willkommen zu heißen. Als es dämmerte, flammten kleine Kochfeuer auf, und bald war das Gras übersät mit abgenagten Knochen, Brotrinden und ordentlich aufgeschichteten Häufchen von abgebrochenen Fledermausflügeln.

Eines Abends saß Nob neben der Tür der Hütte und lauschte dem Gesang der Wassernymphen. Er beugte sich vor, um die Worte mitzubekommen, als er ganz plötzlich direkt am Ohr eine leise Stimme vernahm.

»Du da«, begann sie unsicher. »Du. Das Kennwort?«

»Lindwurm!«

»Sei gegrüßt«, sagte die Schlange. »Sei gegrüßt, du da. Wie geht es? Ich habe meinen Berg verlassen und bin hergekommen.«

»Und wie war es dort auf deinem Berg?«

Die Schlange schüttelte den Kopf. »Rauhe See«, sagte sie traurig und ließ sich in vielen Windungen zu Nobs Füßen nieder. »Rauhe See. Konnte die anderen noch nicht finden. Du weißt ja, es ist Frühling, und ... und sie hätten eigentlich kommen müssen.«

»Ich weiß«, sagte der Junge und streichelte die Schuppen.

»Aber sie sind nicht gekommen«, quengelte der Lindwurm und drehte sich, damit Nob ihm auch den Bauch reiben konnte. »Sie sind einfach nicht gekommen. Ich weiß nicht ... weiß nicht, wo sie geblieben sein könnten. *Halt, du!*« sagte er plötzlich und schaute böse zu einem Gnom rechts von Nob auf. Dann schoß er in die Höhe und beugte sich nach vorn, auf das entsetzte Wesen zu.

»Du da!« hörte Nob ihn zischen. »Das Kennwort?« Der Gnom stieß ein unartikuliertes Krächzen aus.

»Nein, nein«, sagte die Schlange ungeduldig. »Nein, das ist falsch, du Tölpel. Versuch es noch einmal!«

Von da an blieb der Lindwurm ständig bei Nob und glitt durch das Gras hinterher, wohin der Junge auch ging. Rasp gab ihm jeden Tag Unterricht. Manchmal saß Nob neben Twelve und Hopeless und hörte zu, wenn sie mit leisem Murmeln ihre Zauber wob. Er hackte mit den Zwergen Feuerholz und unterhielt sich mit ihnen über alte Legenden. Eines Morgens saßen sie im Schatten, und er erzählte dem Lindwurm eine Mär über seinen Berg und die See und die Wellen, die gegen die moosbedeckten Felsen donnerten. Der Lindwurm zischte entzückt und starrte ihn mit den kleinen Augen liebevoll an.

»Nein«, sagte er einmal gereizt, »nein. Das waren *Stech*kiefern ... Stechkiefern. Sie wuchsen auf meinem Berg.« Und später: »Ja, das stimmt, die anderen kamen und sangen mir vor.« Dann zischte er, gelber Dampf stieg auf, er lauschte weiter und lächelte dabei vor sich hin.

Manchmal, wenn Nob Needle beim Zubereiten der Mahlzeiten half, lächelte der Elf und tätschelte ihm zerstreut den Kopf wie einem Hund. Needle wurde von tausend Ängsten geplagt. Was war, wenn sie unabsichtlich etwas Entsetzliches heraufbeschworen und es dann nicht mehr loswerden konnten? Was war, wenn es sich befreite und jemanden verletzte? Wenn es sich gegen sie selbst wandte? Er hatte nach der Nacht, in der er die Zauberin Ribble gerufen hatte, vorsichtig ein paar Zaubersprüche ausprobiert, und die übte er jetzt fleißig jeden Tag. *Ich muß ganz sicher sein, daß ich sie vollkommen beherrsche, wenn die Jäger wiederkommen,* dachte er.

Twelve dachte nicht mehr an die Jäger. Sie dachte an gar nichts mehr außer an Hopeless und ihre neu entdeckte Macht. Sie saß unter der Birke und rief Drachen, Greife, Schlangen und Geier herbei. Sie und Hopeless levitierten sogar und hoben ein wenig zittrig ein Stück vom Boden ab. Es schien ihr, als habe sie sich dies schon immer gewünscht. Sie lachte den ganzen Tag über, ihr schmales Gesicht glühte. Die Gnome hatten dank ihrer Künste keine ruhige Minute mehr.

Rasp ermunterte die Gnome, ihre Erdmagie zu erproben. Sie gruben sich durch die ganze Lichtung und ließen lange, unregelmäßige, frisch aufgewühlte Erdstreifen zurück. Sie errichteten merkwürdige schiefe Gebilde aus Fledermausknochen und bewirkten, daß sie, nur von einem Wort gehalten, aufrecht stehenblieben. Mit ihren Fähigkeiten war nicht sehr viel anzufangen, aber Rasp fand sie unterhaltsam.

Die Bäume hatte man zu Wächtern bestimmt. »Gibt es denn bessere Wachtposten als die Bäume selbst?« hatte Needle gefragt. Nun spähten die am Waldrand stehenden Bäume, die jüngeren also (denn die alten, die großen knorrigen Riesen lebten in der Mitte), aufgeregt umher, und ihre Äste zuckten fast wie erschrockene Hände durch die Luft. Lange Tage und Nächte hindurch sahen sie nichts. Sie warteten und wachten, murmelten mit ihren Nachbarn und schickten Signale hin und her, aber niemand kam. »*Nichts Neues*«, erklärten sie Twelve, »*nichts Neues!*«

Jeden Abend versammelten sich Rasp, Needle, Stout und die Zwerge um ein kleines Lagerfeuer und beratschlagten über ihre Pläne. Rasp war der Ansicht, sie sollten sofort von allen Seiten auf die Jäger losgehen und sie in der Mitte in einem Kreis zusammentreiben.

»Wir müssen dafür sorgen, daß sie fortgehen und *nicht wiederkommen*«, sagte er.

Stout fand, es sei besser, sie zuerst in die Irre zu führen; mochten sie doch eine Weile im Wald herumgaloppieren, bis sie müde waren und es dunkelte, dann konnte man sie um so besser überraschen.

»Überrascht werden sie in jedem Fall sein«, erklärte Rasp.

Ja, meinte ein anderer Zwerg, aber sie seien leichter angreifbar, wenn sie schon eine schlechte Jagd hinter sich hätten und zum Abzug bereit seien. Wenn dann zum Beispiel eine Mantichora oder ein Drache erschiene ...

So saßen sie bis tief in die Nacht hinein und redeten. Die Gnome wurden in ständiger Ungewißheit gehalten. Der Elf wollte sie nicht mit dabeihaben, er fand, es sei zu gefährlich. »Seht doch, was beim letzten Mal passierte!« sagte er. Aber die Gnome entgegneten ihm, sie wollten kämpfen, sie seien gekommen, um zu kämpfen, und sie würden es auch tun. Sie hielten ihre eigenen Versammlungen ab, bei denen sie murmelnd im Dunkeln saßen und Fledermausknochen knackten.

Eines Tages sahen Needle und Rasp zu, wie Wolly mit verschiedenen Zaubermitteln die Gestalt des Jeinhorns veränderte. »Sie sollen ihr Einhorn bekommen«, sagte Needle grimmig. »Wolly, was ist mit den Stoßzähnen?«

Wolly schwitzte. Er nickte und hob die Hand. Die Stoßzähne verschwanden. Das Jeinhorn reckte den Kopf in die Höhe.

»Ich *möchte* meine Stoßzähne«, jammerte es. »Na schön. Wolly, was stellst du da mit meinen Füßen an?«

»Vergiß auch den Schwanz nicht, Wolly!« mahnte Needle.

Nob war ausgeschickt worden, um Wurzeln und Beeren zu sammeln. »Komm mit!« sagte er zum Lindwurm. Sie zogen zusammen los und schlenderten gemächlich zwischen den Bäumen umher. Es war ein verträumter Sommertag, und Nob war schon fast eingeschlafen. Ein Bienenschwarm summte in den Büschen. Hinter ihm schlängelte sich der Lindwurm dahin.

Von Zeit zu Zeit gingen sie wieder ein Stück zurück, um sich nicht allzuweit von der Lichtung zu entfernen. Nob wurde allmählich hungrig. An einer kleinen Wiese hielt er an, setzte sich und verspeiste die Beeren, die er gepflückt hatte.

»Nach dem Essen gehen wir weiter«, versprach er dem Lindwurm, der Wache hielt.

Nob aß den größten Teil der Früchte auf, dann erhob er sich mit einem Seufzer und putzte sich ab. Auf einmal begannen die Bäume zu schwanken und zu raunen.

»Wwwwwuuuuuuschschsch«, sagten sie, und »Uuuuuhhhh« und »Wwweeeeeerrr?????« und neigten sich, als fege ein Sturm zwischen ihnen hindurch. Ein paar Äste fielen krachend zu Boden.

Nob hob den Kopf, der plötzliche Wind zauste ihm die Haare. »Was ist los?« schrie er.

Nun drang ganz schwach ein hohes silbriges Klingen durch den Wald, eine Kaskade immer tiefer werdender Töne. Nob und die Schlange starrten sich an.

»Hör nur!« rief die Schlange. »Was – was ist das?«

»Ein Horn«, sagte Nob. »Ein Jagdhorn.«

Jetzt vernahmen sie auch ein Trommeln, das immer lauter wurde, dumpfe Hufschläge auf der Erde. Nob blickte sich schnell um. »Komm, Lindwurm! Wir müssen weg von hier!«

Die Schlange hatte den Kopf gehoben. »Die – die Jäger?« stammelte sie. »Die Jäger kommen?«

»Ja! Wir müssen zurück zu den anderen!«

Die Schlange drehte sich um, dann ließ sie sich zu Boden fallen und ringelte sich schnell dem Geräusch der Pferde entgegen. »Ich werde sie anrufen!« schrie sie. »Ich werde sie anrufen! Wie – wie können sie es wagen, den Wald noch einmal zu betreten?«

»*Nein!*« schrie Nob. »Nein! Komm zurück!«

»Halt!« befahl das Tier und bäumte sich auf. »Halt, ihr! Wie lautet das Kennwort? Ihr werdet nicht passieren, sage ich! Ihr werdet nicht passieren!«

»*Lindwurm!*« schrie Nob, rannte dem Reptil nach und nahm seinen Kopf in beide Hände. »Lindwurm«, sagte er, »du mußt zurück! Ich bleibe hier und halte sie ein wenig auf. Du mußt zurück, hörst du? Sag Needle, daß – daß ich versuchen werde, die Jäger von ihm wegzuführen, auf den Fluß zu.«

»Du – du wirst sie nach dem Kennwort fragen?« wollte die Schlange noch wissen.

Das Horn klang schon ganz nahe.

»Ja!« schrie der Junge.

»Schön«, sagte die Schlange, ließ sich zu Boden fallen und glitt schnell davon. »Niemand kommt hier ungehindert durch!« schrie sie und verschwand im Gebüsch.

Nob drehte sich um. Das Trommeln wurde lauter. Einen Augenblick später brachen die Jäger, etwa dreißig an der Zahl, durch die Bäume.

Nob lief ihnen entgegen und faßte den Zügel des ersten Pferdes. Das Tier bäumte sich auf und hätte ihn beinahe umgerissen.

Die Jäger schrien sich Fragen zu.

»Das Einhorn!« rief Nob. »Das Einhorn!«

Plötzlich war alles totenstill.

»Es war dort drüben!« rief Nob und streckte die Hand aus. »Am Fluß! Kommt schon, sonst entgeht es euch!«

»Was hast du hier zu suchen, Junge?« fragte der Anführer.

»Ich – ich wohne mit meiner Tante nahe am Wald. Kommt schon, wir müssen uns beeilen!«

Der Anführer ließ sein Pferd im Kreis gehen, dann wendete er und besprach sich kurz mit den anderen Jägern. Schließlich galoppierte er auf Nob zu. Als er ihn erreicht hatte, beugte er sich herab und zog den Jungen vor sich in den Sattel.

»*Diese Richtung!*« keuchte Nob.

Eine halbe Stunde später kamen sie aus den Bäumen heraus und befanden sich an den Ufern eines Flusses.

»Nun?« fuhr der Anführer Nob an und zügelte sein Pferd. »Nun?«

»Wir müssen hinüber«, sagte Nob. »Aber hier ist das Wasser zu tief.«

Der Jäger brummte.

Sie galoppierten flußabwärts am Ufer entlang. Das Schilf erzitterte, als sie vorbeiritten. Plötzlich parierte der Anführer sein Pferd. »Keine Spur!« sagte er. »Du bist ein Lügner, Junge. Du hast das Einhorn ebensowenig gesehen wie wir.«

Ein harter Schlag mit der Hand, und Nob lag auf dem Boden.

»Zurück!« schrie der Anführer und riß sein Pferd herum. »Zurück!«

Nobs Kopf schmerzte. Er hörte das Murmeln des Flusses, und darin das Flüstern der Wassernymphen.

Er rappelte sich auf und zeigte schreiend mit der Hand über den Fluß. »*Seht doch!*«

Da, am anderen Ufer, stand das Einhorn. Es sah einen Augenblick lang seelenruhig zu ihnen herüber, dann warf es den Kopf hoch und stürmte mit der Strömung um die Wette flußabwärts davon. Sein Horn blitzte rot und golden wie ein Stern vor ihm her.

Mit einem Aufschrei folgten ihm die Jäger.

Nach mehreren Biegungen wurde der Fluß breiter und seichter, der Grund war kiesig. Die Jäger warfen sich von ihren Pferden, kletterten schlitternd die Uferböschung hinunter und führten die Tiere, laut über ihre Langsamkeit fluchend, durch das Wasser. Auf der anderen Seite saßen sie wieder auf. Ein Stück flußabwärts stand das Einhorn wartend zwischen den Bäumen. Es drehte sich um und verschwand im Wald.

Mit lautem Rufen stürmten die Jäger hinterher. Sie bemerkten nicht, daß die Bäume auseinandertraten und ihnen einen Weg frei machten. Sie bemerkten auch nicht, daß es, abgesehen von ihren eigenen

Stimmen und den Hufschlägen ihrer Pferde, im Wald völlig still war.

Nob stand noch da, wo sie ihn zurückgelassen hatten, und blickte den Fluß hinauf und hinunter. Dann hinkte er langsam hinter den Jägern her. Als er die Furt erreichte, kletterte er die Böschung hinab und watete hinüber. Er versuchte, sich Needles Plan in allen Einzelheiten ins Gedächtnis zu rufen. Die Bäume zeigten ihm flüsternd den Weg. Er drehte sich um und drang in das Unterholz ein.

Hinter ihm murmelten die schäumenden weißen Wirbel des Flusses.

Plötzlich schoß, von der Furt aus gesehen ein Stück flußabwärts, ein stumpfer diamantförmiger Kopf aus dem Wasser und drehte sich hin und her wie ein kurzsichtiges Sehrohr. Er zögerte, um sich zu orientieren, sah sich blinzelnd um, dann ließ er sich langsam unter die Oberfläche sinken, und ein dunkler Körper glitt flußaufwärts, wie ein Fragezeichen im Wasser liegend. Zwei Wassernymphen schwammen gestikulierend nebenher und erzeugten beim Sprechen einen Schwall von durchsichtigen blauen Blasen. An der Stelle, wo die Jäger den Fluß überquert hatten, hielten die Wasserfrauen inne, und der stumpfe Kopf fuhr wieder blinzelnd in die Höhe. Gleich darauf ließ sich das Reptil mit auffällig verstohlenen Bewegungen wieder sinken, bis nur noch der Kopf auf dem Wasser lag, und schwamm über den Fluß, bis es am Ufer anstieß. Die Schlange kroch auf ein Büschel Sumpfgras, blieb dort einen Augenblick lang liegen, schob sich über die Böschung hinauf und verschwand schnell im Wald.

ZWÖLF

DAS EINHORN LIEFERTE den Jägern an diesem Tag eine wilde Jagd. Es rannte vor ihnen her, blieb mitten auf einer Wiese stehen, drehte sich um und sprang ins Unterholz davon. Die Jäger folgten. Ihre Gesichter waren schweißüberströmt, und ihre Augen glühten. Die Bäume wichen zur Seite und sahen ihnen nach.

Die Jäger verfolgten das Einhorn den ganzen Nachmittag über. Jedesmal wenn sie glaubten, es verloren zu haben, tauchte es ganz in der Nähe wieder auf. Und jedesmal wenn sie glaubten, den Abstand zu verringern, verschwand es und erschien wieder in weiter Ferne wie ein Flecken Mondlicht auf einem Hügel. Wollys Zauberkünste gelangen nicht ohne weiteres, und die Gestalt des Einhorns veränderte sich immer wieder, einmal wuchsen ihm Stoßzähne, dann schwenkte es einen runzeligen Rüssel oder schlug mit einem Rattenschwanz mit einem Knoten darin. Aber das sahen die Jäger nicht. Das Jeinhorn war langsam und schwerfällig, aber vor ihren Augen glitt es davon wie ein Tropfen Quecksilber. Wolly schlüpfte hinter ihm durch den Wald, ein Schatten zwischen Schatten.

Die Männer wurden auf vielen Umwegen zu der Wiese im Zentrum des Waldes geführt, wo das Jeinhorn geheilt worden war. Needle hatte diesen Platz wieder gewählt, weil er erfüllt war von Erinnerungen an vergangene Macht. Inzwischen war vom Mond nur noch ein schmaler Splitter zu sehen, die Magie mußte also fast im Dunkeln beschworen werden. Needle fluchte, als ihm das klar wurde, und ließ sich ins Gras sinken. Twelve stand neben ihm, Hopeless kauerte zu ihren Füßen. Rasp stützte sich nicht weit entfernt auf seinen Stab. Alle fuhren auf, als Nob am Rand der Lichtung erschien.

Er trat vor, und Needle nickte ihm zu. »Gute Arbeit«, sagte der Elf.

»Die Jäger?« fragte Nob.

»Die werden bald hier sein.«

Nob setzte sich. Niemand sprach. In Hopeless' Augen fing sich der letzte Schein des Sonnenuntergangs und ließ sie einen Moment lang rot aufglühen.

Die Jäger bemerkten die heranschleichende Dunkelheit nicht. Sie sahen nur das Einhorn, das vor ihnen flüchtete und sie immer weiter und weiter führte. Die Pferde waren naßgeschwitzt, ihre Flanken hoben und senkten sich heftig.

Endlich erreichten die Reiter die Wiese. Sie galoppierten darauf zu, die Augen auf das Einhorn geheftet, das in der Mitte stand. Sie stürmten auf die Wiese und hielten an.

Das Einhorn war verschwunden.

Über ihnen kamen die Sterne hinter den Wolken hervor. Die Reiter rutschten aus den Sätteln.

»O Gott!« stöhnte einer von ihnen und lehnte sich gegen sein Pferd. »Wie – wie lange geht das nun schon?«

»Wir haben es verloren«, sagte ein anderer. »Wir haben es verloren!«

Hinter ihnen flammte plötzlich ein Licht auf, und sie fuhren erschrocken herum. Dort am Rand der Wiese stand das Einhorn.

»Ihr Jäger«, sagte es, *»warum jagt ihr mich?«*

Die Männer standen wie vom Donner gerührt.

»*Ihr Jäger*«, fuhr es fort, »*warum wollt ihr mich töten*«?

Needle und die anderen standen hinter den Bäumen und sahen zu.

Das Einhorn trat vor und hielt vor einem Pferd inne. Dann senkte es mit einer schnellen Bewegung den Kopf, streifte das Tier mit dem Horn, und das Pferd galoppierte in die Nacht davon.

Das Einhorn ging von einem Pferd zum anderen, und bei seiner Berührung floh jedes Tier.

Neben Needle bewegte sich etwas, und Wolly erschien. In den Augen des Alten flimmerte die Zauberkraft.

»Wolly«, flüsterte Needle, »es ist an der Zeit. Laß es verschwinden!«

Wolly nickte. Auf der Lichtung blickte das Einhorn auf.

Die Jäger standen noch immer reglos. Das Einhorn drehte sich zu ihnen um und sagte: »*Kommt nicht wieder her!*« Dann war es fort.

Needle sah Twelve an. Die Hexe saß ein wenig abseits und hatte einen Arm um Hopeless gelegt.

»Twelve«, sagte der Elf.

Mit einem tiefen Atemzug vergrub sie die Hände in Hopeless' Fell. »*Jetzt!*« raunte sie.

Auf der Lichtung, wo vorher das Einhorn gestanden hatte, waberte eine Lichtwolke. Zweimal flackerte sie und erlosch, zweimal schloß die Hexe die Augen und holte sie zurück.

»*Jetzt*«, flüsterte sie noch einmal und streckte die Hand aus.

Und da stand, gräßlich und dunkel, die Mantichora und neigte das sanfte Gesicht zu den Jägern hinab.

Needle keuchte auf. »Nein!« rief er bestürzt. »Twelve, ich habe es dir doch gesagt! Nicht *dieses* Ding!«

Die Hexe lachte. »Aber damit schaffen wir es, nicht wahr?« antwortete sie. »*Hierher* kommen sie niemals wieder!«

Rasp beugte sich vor und schüttelte sie grob. »Kleine Närrin«, flüsterte er, »versuch es mit etwas anderem! Hör auf Needle!«

Als Antwort schnippte ihm die Hexe nur verächtlich mit den Fingern vor dem Gesicht.

Auf der Lichtung hatte die Mantichora noch immer kein Wort gesprochen. Die Jäger standen wie gelähmt vor ihr.

»Das ist zuviel«, sagte der Elf. »Es könnte sie töten. *Twelve!*«

Aber die Hexe, zaubertrunken, hörte nicht auf ihn.

Das Ungeheuer lächelte. Wie schon einmal, so sprach es auch jetzt, und jeder der Jäger glaubte, die Worte seien nur für ihn allein bestimmt. Zu einem Mann sprach es von seiner Frau, zu einem zweiten von seinem Handwerk, zu einem dritten von seinen lange und vorsichtig gehegten Hoffnungen. Zu jedem sprach es von Krankheit, Verfall und Verlust. Die Männer senkten die Köpfe und drängten sich wehrlos dort in der Mitte des Waldes zu einem kleinen verschüchterten Häufchen zusammen.

»Twelve«, sagte Needle, »hör auf damit!«

»Ja«, antwortete sie endlich und hob die Hand.

Die Mantichora zögerte. Das Licht, das sie umgab, begann zu verschwinden. Das Wesen flimmerte, wurde schmal und dehnte sich wie die Oberfläche eines alten Gemäldes.

Plötzlich ertönte lautes Geschrei hinter den Jägern

im Gebüsch, und es knackte in den Zweigen. Stout und die anderen Zwerge stürmten, dicke Stöcke schwingend, gefolgt von einer Gruppe von Kobolden und Gnomen, auf die Lichtung und sprangen mit lauten Schreien auf die Jäger zu. Die Männer stoben verwirrt auseinander und verschwanden im Wald.

Twelve sah ihnen mit boshaftem Grinsen nach. Ihr Zauber war noch nicht vollendet.

Der Hund hob den Kopf und heulte den Mond an.

Und somit war die Jagd wieder eröffnet. Die Zwerge stürmten hinter den Jägern her und schwangen schreiend die Waffen. Die Angst schien den Männern Flügel zu verleihen, aber sie mußten sich doch erst zwischen den Bäumen hindurchkämpfen. Einige stolperten zufällig über ihre Pferde, die ruhig nahe der Lichtung grasten. Sie kletterten in den Sattel und trieben die Tiere mit schnellen Fußtritten durch den Wald.

Die Gnome lachten leise, schlichen sich von hinten an sie heran und bewarfen die Pferde mit Knochen, worauf diese scheuten und die Reiter abwarfen. Die Kobolde stachen die Pferde mit Messern in die Flanken, worauf diese sich aufbäumten; sie stiegen auf die Bäume und warfen mit Steinchen und Knochen nach den flüchtenden Männern, die laut schrien, als sie spürten, wie flinke kleine Hände aus dem Geäst nach ihnen griffen. Ein paar der kräftigsten Gnome warteten zusammengekauert auf schwankenden Ästen, bis unter ihnen ein Reiter vorüberkam; dann packten sie zu und rissen den Mann rückwärts vom Pferd.

Ein Jäger wußte sich besser zu helfen als die übrigen, er zügelte sein Pferd und ließ es langsam im Kreis gehen. Als er sah, wie die gebückten kleinen Gestalten durch die Schatten schlüpften und wie einige auf die

Bäume kletterten, griff er nach hinten, nahm einen Pfeil aus dem Köcher und setzte ihn leicht auf die Bogensehne. Dann wartete er, im Sattel vorgebeugt, auf ein geeignetes Ziel.

Plötzlich ertönte dicht an seinem linken Ohr aus der Luft eine trockene Stimme.

»Halt!« sprach jemand. »Du da. Du.«

Mitten im Nichts, den Körper um einen dicken Ast gewickelt, hing der Lindwurm. Die Augen glühten wie Edelsteine, das Maul war geöffnet, und man konnte die gewaltigen Zähne sehen.

»Du da«, sagte er, und die lange Borste unter dem Kiefer zitterte, während er hin und her schwang, »hast du mich nicht gehört?«

Der Mann öffnete den Mund zu einem matten Kreischen.

Die Schlange funkelte ihn an. »Tor«, sagte sie wütend, sperrte das Maul auf, gähnte langsam und ausgiebig und schoß nach vorn.

Der Mann schrie in panischem Entsetzen auf, riß sein Pferd zurück, wendete und ergriff die Flucht, schluchzend und Verwünschungen ausstoßend.

Der Lindwurm glitt zurück ins Laubwerk und machte sich auf die Suche nach einem neuen Opfer.

Die Waldbewohner verfolgten die Jäger fast die ganze Nacht lang. Die Zwerge ließen aus dem nächtlichen Nebel grausige Erscheinungen entstehen, höhnisch grinsende Gesichter, die den Jägern aus der Dunkelheit entgegensprangen. Über ihnen in den Bäumen lachten leise die Gnome und bauten schiefe Burgen aus Zweigen und Blättern. Die Jäger stolperten laut rufend hierhin und dorthin, aber die einzige Antwort, die sie erhielten, waren das Gelächter der Gnome und das Zischen des Lindwurms, der hoch oben von einem Ast hing.

Ein paar Stunden vor dem Morgengrauen fand sich die Jagdgesellschaft am Rand des Waldes wieder. Die Pferde waren fort. Wie Gespenster krochen die Jäger unter den Bäumen hervor und sammelten sich verzweifelt. Ihre Kleider waren zerrissen, in den Haaren hatten sich Dornenranken verfangen. Sie starrten sich an, murmelten etwas und umarmten sich. Dann blieben sie eine Weile stehen, sahen sich um, blickten wild zum Mond hinauf. Schließlich machte sich die arg mitgenommene Gruppe auf den Weg dorthin zurück, wo sie erst am Vormittag zuvor hergekommen war.

Needle saß allein auf der Lichtung. In der Ferne hörte er die Zwerge rufen. Vor ihm lag die Wiese so ruhig, als warte sie auf etwas. Needle beobachtete sie müßig, er war weit weg mit seinen Gedanken.

Auf einmal zeigte sich zwischen den Bäumen auf der gegenüberliegenden Seite der Lichtung ein heller Schein, und die Mantichora glitt heraus.

»Needle«, sagte sie.

Der Elf spürte, wie ihn ein kalter Schauer überlief.

Die Mantichora wartete. »Needle«, wiederholte sie.

Der Elf stand langsam auf und trat auf die Wiese. Ein paar Schritte von der Erscheinung entfernt hielt er inne.

Hinter ihm tauchte Nob zwischen den Bäumen auf, keuchend, den Kopf voller Geschichten. Er wollte schon zu Needle gehen, um ihm alles zu erzählen, aber dann sah er die Mantichora und blieb stehen.

»Needle«, hörte er die Mantichora sagen, und der

Schwanz mit der giftig roten Spitze ringelte sich im Gras, »Needle, deine Zauberkräfte haben dich verlassen. Du bist so spröde und trocken wie eine leere Hülse. Du bist hohl.«

Die Erscheinung beugte sich vor und näherte den Kopf dem Elf. Hinter ihr bog sich der Schwanz nach oben.

»Needle«, flüsterte sie, und ihre Stimme hallte zwischen zwei Welten wider, »ich werde dich töten. Es ist besser zu sterben, als so zu leben, wie du jetzt bist.«

Needle lauschte mit ruhigem, traurigem Gesicht.

»Ja«, sagte die Mantichora, »ich werde dich töten. Ich werde dich mit mir nehmen.«

Und sie kam näher, schwebte über das Gras, eine plumpe Löwenpfote mit ausgefahrenen Klauen streckte sich aus. Der Schwanz wölbte sich Needle begierig entgegen.

Needle wartete. Was die Mantichora gesagt hatte, war die Wahrheit. Seine Zauberkräfte hatten ihn verlassen.

Er schaute nach unten, der Stachel berührte seinen Arm. Mit einem plötzlichen Schrei zuckte er zurück.

Die Mantichora zögerte. »Du hast keine Zauberkräfte mehr, Needle«, drängte sie. »Keine Zauberkräfte. Komm mit mir! Ich führe dich in Länder, die du noch nie gesehen hast.«

Wieder kam der Stachel bebend heran. Needle wich zurück, die Augen auf das traurige, liebevolle, von einer goldenen Mähne gekrönte Gesicht gerichtet.

»Nein«, keuchte er. »*Nein!*«

Die Mantichora folgte ihm flink.

»*Nein!*« schrie der Elf, hob eine Hand und fuhr damit

in der Luft umher. Aus dem Nichts strömten ihm die Worte zu.

»*Li elanal li elor*«, sagte er, die Laute kamen stockend, mühsam. »*Li elanal . . .*«

Die Mantichora blieb stehen. Dann schüttelte sie sich und kam wieder näher. »Laß dich von mir töten!« sagte sie freundlich.

»Nein!« schrie Needle, und jetzt sprudelten die Worte plötzlich heraus.

»*Li elanal li elor si emelor i noar! I noar i lo nior . . .*«

Das Ungeheuer hielt inne und sah ihn bedeutungsvoll an. Needle stand zitternd da und schrie den Zauberspruch heraus. Die Mantichora seufzte und legte den Kopf schief.

»*Si emelor lo anamor i guidor . . .*«, schluchzte der Elf. »*I nior leda!*«

Nob klammerte sich wie ein Frosch an den Baum und sah zu. Das Ungeheuer lachte, ein gräßlicher Laut wie brechendes Glas. Dann wandte es sich ab und schwebte in den Wiesennebel hinein. Während es lachte, wurde es kleiner und kleiner, das Geräusch wurde dünner und dünner und klirrte schließlich nur noch wie die Schelle einer Katze. Dann war es verstummt.

DREIZEHN

DEN GANZEN NÄCHSTEN TAG und die nächste Nacht über waren die Waldbewohner auf der Wiese versammelt; sie entzündeten große Feuer und schmausten, zechten und sangen. Rasp saß an einer Seite, umringt von begeisterten Zuhörern, und gab Mären über die nächtliche Jagd zum besten. Die Gnome und Kobolde sangen zu den trockenen Pfeiftönen ihrer Knochenflöten. Nob erzählte Twelve, die neben ihm saß und die Finger in Hopeless' Fell vergraben hatte, eine Mär. Der Lindwurm lag ordentlich zusammengerollt in der Nähe. Stout und seine Leute saßen beisammen und rauchten, unterhielten sich mit Geschichten und lachten. Gelegentlich entstand aus dem Rauch ihrer Pfeifen ein Bild, das die eben erzählte Geschichte begleitete: eine wellige Bergkette weit in der Ferne, wenn einer der Zwerge die Legende von Nord und der zerklüfteten Insel vortrug; oder ein behäbiges Häuschen, aus dessen Schornstein der Rauch blubberte, wenn Stout von der Hexe Liu sprach.

Wolly und das Jeinhorn standen beieinander. Das Jeinhorn hatte seine eigene Gestalt wieder. Wolly murmelte etwas, die Stirn in Falten gelegt, einen konzentrierten Ausdruck im Gesicht; er erzeugte Lichtboviste, die mitten in der Luft zerplatzten und die Stachelschweine erschrocken auseinanderstieben ließen.

Nur Needle stand abseits, allein, schweigend und blaß, das Gesicht geprägt von der Erinnerung an die Mantichora. Er hatte immer noch das Gelächter im

Ohr, mit dem das Ungeheuer im Nichts verschwunden war.

Rasp trat zu ihm. »Granny«, sagte der Märenerzähler. »Granny Weil. Wir sollten zu ihr gehen und ihr berichten, was geschehen ist.«

Needle nickte und holte die anderen. Nob und Twelve kamen eifrig heran, der Lindwurm, der aus dem Gras zu ihnen aufblinzelte, und Hopeless, der wie ein kleiner stacheliger Heuhaufen auf dem Boden kauerte, blieben zurück. Stout murrte zwar, aber er verließ doch den Kreis von Zwergen, die ihm nachsahen, und kam mit.

Als sie die Höhle erreichten, zündeten sie Fackeln an und schritten hinein, geführt von Needle.

»Granny!« rief der Elf. »Granny! Wir wollen dich besuchen kommen!«

Sie erhielten keine Antwort.

Sie eilten weiter, bohrten sich wie Würmer in den Hügel hinein. Die Fackeln gaben ein unheimliches flackerndes Licht.

»Granny!« rief Rasp, als sie näher kamen. »Granny, wir sind's!«

Seine Worte wurden wieder und wieder von den Wänden zurückgeworfen, aber es kam keine Antwort. Keine vertraute schrille Stimme, vom Alter und von vielen Enttäuschungen brüchig geworden, drang aus dem Zentrum des Hügels zu ihnen.

Sie gingen so lange im Kreis herum, bis ihnen ganz schwindlig war. Endlich führte der Korridor geradeaus weiter, und sie konnten ganz hinten den kleinen Raum sehen. Mit einem Schrei sprang der Elf darauf zu.

Auf der Schwelle zögerte er und sagte: »*Granny.*«

Die anderen drängten sich um ihn, ihre Augen leuchteten durch die Nacht wie böse Vorzeichen.

Der Raum war leer. Er wirkte grau, vertrocknet, krümelig wie ein Leichentuch oder eine leere Insektenhülle. Im wogenden Schein ihrer Fackeln sahen sie, daß die Asche in der Feuerstelle kalt war. Der Kochtopf stand an seinem Platz, hockte trotzig auf dem Herd, und die vielen Reihen von Gefäßen, Phiolen und Flaschen standen da, wo sie immer gestanden hatten, in staubiger Behaglichkeit auf den morschen Regalen zusammengedrängt. Alles war genauso wie immer, nur Granny und ihr Hund fehlten. Der Raum lag unter einer dichten Staubschicht und war erfüllt vom feinen, dünnen Gewisper der Spinnen, die ihre Legenden woben.

Needle taumelte von der Tür zurück. »*Granny*«, flüsterte er.

Wenn Hexen sterben, behalten sie ihre Gestalt nicht einmal so lange wie die Menschen. Wenn sie sterben, wenn ihre Macht sie verläßt, zerfallen sie sofort, in der Zeitspanne zwischen einem Gedanken und dem nächsten, zu Staub.

Stout hob die Fackel und da, unter dem schiefen Tisch fanden sie die dünnen gebogenen Knochen des Ratten-Hundes. Er hatte sich dorthin verkrochen und sich wie ein kleines Häufchen zum Sterben zusammengekauert. Die Spinnen waren schon eifrig am Werk und füllten die Hohlräume zwischen den Knochen mit ihren Netzen.

Twelve drängte sich nach vorn. In der Tür blieb sie stehen und starrte mit riesengroßen leeren Augen das Häufchen Hundeknochen an.

Needle sah sich um. Die anderen taten es ihm nach.

Dann folgten sie ihm durch den Korridor und ließen die Spinnen, den Staub und die zerfallenden weißen Knochen hinter sich zurück.

Sobald sie draußen waren, verschlossen sie den Eingang zur Höhle mit Steinen und Erde. Als sie damit fertig waren, blieben sie noch eine Weile stehen, dann schleppten sie sich langsam den Hügel hinunter.

Die Feier auf der Wiese war noch im Gange, als sie zurückkehrten. Der Lindwurm wartete genau an derselben Stelle auf Nob, wo er ihn zurückgelassen hatte.

»Sei gegrüßt«, sagte er und wölbte sich so hoch, daß sein Kopf neben Nobs Schulter hing, als dieser sich ins Gras setzte. »Sei gegrüßt, du da. Eine Mär?«

»Nein, Lindwurm. Jetzt nicht.«

»Ein – eine Mär?« fuhr er schwerfällig fort, »eine Mär, vielleicht ... von meinem Berg?«

Nob seufzte. Dann lehnte er sich zurück und begann mit einer Geschichte über einen Berg im Winter, wenn die Wellen grün und weiß gegen seine Flanken krachten und die Meeresraupen wie Schaum hoch oben auf den Wogenkämmen ritten. Der Lindwurm lauschte mit geschlossenen Augen.

»Du mußt besser aufpassen«, sagte Nob. »Im nächsten Winter darfst du nicht wieder einfrieren. Du mußt deinen Tümpel verlassen, wenn es kalt wird.«

Die Schlange wiegte sich nachdenklich neben seinem Ohr. »Nein«, sagte sie störrisch. »Nein.«

»Hör auf mich! Du mußt deinen Fluß verlassen. Sonst wirst du erfrieren, Lindwurm ... weißt du denn nicht mehr?«

»Ich – erfrieren?« rief das Reptil. »Was? Ich, der Mester Lindwurm, soll erfrieren? Nein, nein, Sterblicher

... das Meer friert nicht ein. Auf meinem Berg bin ich in Sicherheit.«

Nob seufzte. Die Schlange schwang mit geschlossenen Augen hin und her, die Borsten auf dem Unterkiefer waren gesträubt. Dann öffnete sie die Augen, blickte sich hastig um, beugte sich so weit vor, daß ihre Zunge sanft über das Ohr des Jungen zuckte, und flüsterte laut: »Ich gehe nämlich weg ... Ich gehe fort. Will die anderen suchen.«

»*Was?*«

»*Sssscht!* Ich habe mich entschieden. Es ist Zeit. Muß die anderen suchen ... die anderen Lindwürmer. Sie warten nämlich auf mich.«

»Aber Lindwurm ... wohin willst du denn?» fragte der Junge. »Wie willst du sie finden?«

»Ssssssssss«, zischte die Schlange unsicher. »Warum fragst du mich, Sterblicher? Ich habe gesagt, ich werde sie finden: Ich, der Mester Lindwurm. Mein Volk erwartet mich. Schon jetzt versammeln sie sich weit draußen im Meer um meinen Berg. Schon jetzt singen sie die alten Lieder und warten auf meine Rückkehr. Ich kann sie hören: Ich, der Mester. Zweifelst du daran, Sterblicher? Ich sage dir, es ist wahr. Es ist höchste Zeit, daß ich gehe.«

»Aber – aber Lindwurm«, stammelte Nob, »im Frühling konntest du nicht einmal zu deinem Fluß zurück finden!«

Die Schlange bäumte sich wütend auf. »Was?« fragte sie. »Ich soll den Weg zu meinem Berg nicht kennen?« Sie blinzelte ihn kurzsichtig und zornig an. Dann schwenkte sie den Kopf herum und blickte nach hinten zu den anderen.

»Ich habe etwas herausgefunden«, zischte sie.

»Wenn ich stromabwärts schwimme – *stromabwärts,* wohlgemerkt –, ergießt sich mein Fluß ins Meer. Das haben mir die Wassernymphen gesagt. Es ist doch wahr, oder?«

Der Junge nickte.

»Ja«, flüsterte die Schlange mit leuchtenden Augen, »und wenn ich einmal draußen auf See bin, werde ich den Strömungen nach Süden folgen, bis zu meinem Berg. Ich brauche nur zu lauschen. Der Gesang der anderen wird mich hinführen.

»Leb wohl«, sagte sie, ließ sich fallen und glitt durch das Gras davon.

»Leb wohl!« schrie der Junge und streckte die Arme nach ihr aus. »Viel Glück, Lindwurm!«

Er hörte ein gedämpftes Zischen, als die Schlange mit voller Wucht gegen einen Baumstumpf prallte. Dann korrigierte sie ihren Kurs und verschwand in langen S-förmigen Windungen im Wald.

VIERZEHN

DIE REIMER HATTEN DEN FRÜHLING und auch die erste
Zeit des Sommers damit verbracht, am Waldrand entlang von einer Stadt zur anderen zu wandern, auf ihren Instrumenten Musik zu machen, Theater zu spielen und aus den Handlinien oder aus einer Beule am
Kopf die Zukunft zu lesen. Kay hatte sie nicht aus den
Augen gelassen. Es entzückte ihn, daß er wußte, wo
sie sich aufhielten, und Needle nicht. Needle fragte
ihn hin und wieder immer noch, ob er die Reimertruppen nicht gesehen hätte, aber der Vogel lachte nur leise, schüttelte den Kopf, plusterte die dunklen Federn
auf und sagte nein.

Die Sache war also fast in Vergessenheit geraten ...
bis zu dem Morgen, da Kay mit seinem Volk auf der
Lichtung landete und alle Needles Namen kreisch-
ten.

Der Elf kam angelaufen. »Was ist los, Kay? Die Jäger? Sie sind doch nicht wiedergekommen, oder?«

Der große Vogel hüpfte auf dem Boden umher.
»Keine Jäger«, sagte Kay kopfschüttelnd. »Keine Jäger!«

»Worum geht es dann?«

Kay lächelte vor sich hin. »Reimer!« krächzte er
triumphierend und blinzelte in die Sonne. »Reimer! In
der Stadt Rinaldan, auf dem Weg nach Süden! Wir haben sie gestern dort gesehen! Beeilt euch lieber, beeilt
euch lieber!«

Der Vogel keckerte, und sein blankes Auge glänzte
vor Befriedigung. Er hatte schließlich doch beschlos-

sen, die Wahrheit zu sagen, weil er wußte, daß die Reimer bald weiterziehen würden.

»Reimer!« wiederholte er heiser und spähte hinauf zu Nob, der aus der Hütte getreten war. »Reimer! Beeilt euch lieber, beeilt euch, Needle! Keine Zeit zu verlieren!« Dann kreischte er und schwang sich mit einem Flügelschlag in die Lüfte, ein dunkler Fleck am sonnengestreiften Himmel.

»Nein«, sagte Nob, »ich gehe nicht.« Er wich zurück.

»Du mußt gehen«, sagte der Elf. »Sonst dauert es wieder ein ganzes Jahr ... Nob!«

»Ich will nicht gehen!« rief der Junge und rannte über die Lichtung. Er verschwand im Gebüsch, nur seine Stimme war noch zu hören. *»Ich will nicht!«*

Als der Abend dämmerte, kam er wieder, schob sich zaghaft in die Hütte und setzte sich an den Tisch. Needle blickte auf, dann erhob er sich und gab ihm aus dem Topf zu essen. Twelve, Stout und Rasp sahen ihn an, schwiegen aber.

Die Fenster waren offen, eine kalte Brise wehte herein. Needle schüttelte den Kopf, als er in den Kochtopf schaute.

»Wir haben alles aufgebraucht«, sagte er. »Morgen müssen wir losziehen und Vorräte sammeln.«

Am nächsten Morgen weckte Needle sie in aller Frühe und lief dann so geschäftig im Zimmer herum wie eine aufgeregte Henne.

»Los, los, wir haben keine Zeit zu verlieren!« rief er. Die anderen rappelten sich murrend auf und folgten ihm.

Er ging mit Rasp an der Spitze, und die beiden unterhielten sich leise. Hin und wieder blieben sie stehen, um nach Wurzeln zu graben oder von den tiefhängenden Ästen eines Baumes Früchte zu pflücken. Stout schritt munter aus und summte vor sich hin. Twelve und Nob trödelten, von Hopeless begleitet, lachend hinterher.

»Beeilt euch, geht nicht verloren, kommt!« rief Needle von vorn. Er und Rasp blieben immer seltener stehen, und der Elf kam ständig zurück, um die Kinder weiterzutreiben. Als es Mittag wurde, befanden sie sich nahe am Waldrand und hielten an, um zu essen.

Sie breiteten ein Tuch aus und setzten sich ins warme Gras.

Plötzlich war ein schwaches Poltern zu hören. Needle und Rasp blickten sich an. »Folgt mir!« sagte Needle. »Duckt euch!«

Etwa zehn Meter entfernt hörten die Bäume auf, und vor ihnen erstreckte sich die Straße. Sie spähten durch die Büsche, aber es gab nichts zu sehen. Die Straße war leer und flimmerte in der heißen Sonne.

Dann hörten sie Stimmen. Das Poltern wurde lauter. Um eine Straßenbiegung kam eine große Karawane.

Es sah aus wie eine Parade. Zuerst kamen drei mit Pferden bespannte Wagen in einer Reihe; ein paar Leute liefen nebenher. Dann folgten vier Pferde, die eine große Plattform zogen, eine Bühne auf Rädern. Auf der Bühne standen Leute in farbigen Kostümen, scharlachrot, golden und blau. Neben der Bühne gingen weitere Menschen, ebenfalls prächtig gekleidet in karminroter Seide und gelbem Damast. Sie sangen und tanzten, die Kinder rannten hin und her und schlugen im Staub Rad.

Es waren die Reimer. Nob beugte sich vor. Hinter der Bühne rollte wieder eine Reihe von kleinen Wagen, auf die jede Familie ihre Habseligkeiten geladen hatte. Die Kinder schrien und lachten. Die Erwachsenen fächelten sich Kühlung zu und hoben die Köpfe jedem schwachen Lüftchen entgegen.

»Tante Lace«, flüsterte Nob.

Sie ging neben den Wagen her, Gertrude saß auf ihrem Arm, zwei kleine Kinder hingen an ihren Röcken. Sie sah älter aus, als Nob sie in Erinnerung hatte. Nun setzte sie sich Gertrude auf die Hüfte und beugte sich lachend hinunter, um eines von den anderen Kindern zu schelten.

Die Plattform holperte langsam vorbei. Eine Gruppe von Schauspielern befand sich darauf und probte für die nächste Aufführung. Darunter war auch ein junges Mädchen, das, umgeben von den anderen, in der Mitte der Bühne stand.

»Laren«, murmelte Nob und schob die Büsche mit den Händen auseinander. »*Laren!*«

Sie war also Schauspielerin geworden. Nob sah Lar, ihren Zwillingsbruder, mit baumelnden Beinen am Rand der Plattform sitzen. Er stimmte gerade seine Geige.

Nob beobachtete mit brennenden Augen, wie die Bühne vorüberrollte und in der Ferne verschwand. Er schaute der Reihe der Wagen nach, die ihr folgten, bis sie um die Kehre bogen und nicht mehr zu sehen waren. Er wandte den Blick erst ab, als der letzte Reimer von einer Staubwolke verhüllt wurde. Dann lehnte er sich zurück.

Die anderen drehten sich um und sahen ihn an. Von der Straße her waren immer noch ganz schwach das

Quietschen der Räder und die Stimmen der Kinder zu vernehmen.

Nob blickte zu Needle auf. »Du hast gewußt, daß sie hier vorbeikommen«, sagte er.

Der Elf nickte.

»Niemand zwingt dich zu gehen, Nob«, sagte Rasp. »Wir wollten dir nur die Möglichkeit geben, dich zu entscheiden.«

Twelve schwieg, aber sie beobachtete den Jungen aus großen dunklen Augen.

»Manchmal«, sagte Needle, »wünsche ich mir, ich wäre mitgegangen, als die anderen fortzogen. Man sollte bei seinen eigenen Leuten bleiben, wenn man kann.«

Nob beugte sich vor. Von der Reimer-Karawane war, bis auf eine Staubwolke weit unten an der Straße, nichts mehr zu sehen.

»Kann ich wieder zurückkommen?« flüsterte er.

Schweigen trat ein.

»Wenn du uns findest«, sagte Stout.

Nob nickte. Er stand auf und hinkte auf die Straße hinaus. Dann drehte er sich noch einmal um und blickte sie alle an.

»Lebt wohl!« rief er.

Die Waldbewohner sahen ihm nach, als er hinter den Reimern her die Straße hinunterging. Seine Schritte wurden immer schneller, und als er die Kurve erreichte, begann er zu laufen.

HEYNE FANTASY

Romane und Erzählungen internationaler
Fantasy-Autoren im Heyne-Taschenbuch

Programmänderungen
vorbehalten.

HEYNE FANTASY

*Romane und Erzählungen internationaler
Fantasy-Autoren im Heyne-Taschenbuch*